VARIORUM

VARIORUM

A GREEK
TRANSLATION BOOK

——

J. M. MOORE

AND

J. J. EVANS

OXFORD UNIVERSITY PRESS

1969

Oxford University Press, Ely House, London W. 1

GLASGOW NEW YORK TORONTO MELBOURNE WELLINGTON
CAPE TOWN SALISBURY IBADAN NAIROBI LUSAKA ADDIS ABABA
BOMBAY CALCUTTA MADRAS KARACHI LAHORE DACCA
KUALA LUMPUR SINGAPORE HONG KONG TOKYO

PRINTED IN GREAT BRITAIN
AT THE UNIVERSITY PRESS, OXFORD
BY VIVIAN RIDLER
PRINTER TO THE UNIVERSITY

ACKNOWLEDGEMENTS

THE authors wish to acknowledge with gratitude the help they have received from a number of sources. In particular, they are grateful for the help and constructive criticisms of Mr. C. G. Turner; others have also offered useful comments on some of the passages. They are also grateful to the publishers listed below for permission to reproduce material used in this book, and to the staff of the Clarendon Press for their invaluable help and guidance. Finally, they are grateful to a number of generations of pupils at Radley College who have submitted with good grace and almost never-failing good humour to the sometimes painful process of acting as guinea-pigs in the early stages of this project.

Messrs. William Heinemann Ltd. for extracts from their Loeb editions of Arrian, Demosthenes, Julian, and Pseudo-Lysias.
The Oxford University Press for their Oxford Classical texts of Aristophanes, Euripides, Herodotus, Plato, Sophocles, Thucydides, and Xenophon, and for the *Oxford Book of Greek Verse* and Andokides, *On the Mysteries*, ed. D. MacDowell.
Messrs. B. G. Teubner for their text of Plutarch.

CONTENTS

INTRODUCTION

WHILE there is a reasonable selection of readers available for use with classes studying Greek in the O-level year, there is in the authors' experience a shortage of books containing suitable selections for teaching the techniques of translation; this book is designed to fill the gap.

It consists of three sections. The first contains a series of sequences which tell a particular story, each sequence being introduced by a brief account of the context; the majority of the sequences are from prose authors. There are also a few individual passages. The second section consists of harder pieces, both prose and verse, some of which are arranged in sequences as in Section I, but a greater proportion of which are isolated pieces intended for use as unseens. The later stages of the A-level course are well supplied with unseen books, but there is a dearth in the immediately post-O-level period. In addition, this section could be used by the abler pupil in the O-level year. The Appendix consists of a small number of prose and verse pieces set in past years by various Examining Boards at O level; it is hoped that it may prove convenient to have such pieces easily available as a check on pupils' progress, particularly as many Boards do not publish collections of past papers in Greek.

It is hoped that this book will perform a number of functions. If nothing more, it should provide a convenient source of unseens at a level not at present adequately catered for, but the authors have other aims in mind. It should be equally possible to use the sequences in the book as a reader in class, to be handled either prepared or unprepared. Thus a pupil may be introduced to unseen

translation in a context which is familiar and fully under-
stood; it is extremely difficult, if not impossible, to excerpt
passages from most readers for use as unseens at the same
level at which the text is suitable for prepared reading.
Further, should the book be used only as a source of
unseens, the sequences have a most important function.

The source of the lasting distaste which many pupils
acquire at any early stage for unseen translation may well
be the way in which they are suddenly faced with an
isolated passage for practice, with no knowledge of what
is going on except perhaps some rather cryptic hints in the
title. This can cause a severe blow to a pupil's confidence.
We accept the unseen as a proper and useful method of
testing a pupil's competence in reading a language with
understanding, but believe that if he is introduced to the
technique by means of translating passages from a sequence
with some of which he is already familiar a great deal of
the discouragement which often occurs may be avoided.
Unseens impose intellectual demands very different from
those that the pupil has already faced in his reader or
set-book work; it is hoped that the sequence will bridge
the gap between this and handling a single passage *in vacuo*.
It is, of course, not necessary to use every passage in a
sequence; one or two may equally well be used as isolated
unseens.

The sequences should also give a clearer impression
of the works of different writers than single pieces can
ever do; this we feel is particularly so in the case of plays,
where we have included brief accounts of the plots.
Isolated passages taken from complex plots can be ex-
tremely confusing for pupils first faced with Euripidean or
Aristophanic unseens.

The range of authors from which selections have been
made is deliberately wide, and we have not hesitated to

include some extracts from authors far from the classical period. In order to do this it has been on occasion necessary to adapt parts of the extracts fairly freely. We have, however, not felt it right to use pieces which would have required so much adaptation as to amount to rewriting the original, since it seems wrong for pupils at this level to work at anything but original Greek. For this reason a number of authors who suggested themselves for selection, such as Polybius, have been rejected since possible passages would have required drastic revision. We have included a large number of extracts in the book in order to provide adequate material for a reader, to give sufficient coverage of the authors most favoured by the O-level examiners without reducing the number of extracts from other sources, and also because, inevitably, each teacher will have his own views on what constitutes 'good' material for prepared or unseen translation. It is not intended that the pupils should start at the beginning and work through to the end; obviously the best course is for the teacher to pick the pieces which best suit the work the class is doing at the moment.

Each passage, whether in a sequence or not, is prefaced by an introduction giving some facts about the writer if the pupils are not likely to have come across him in the course of their work, or explaining something about the context of the passage. We regard this as an important feature of the book, and hope that these introductions will lead on to a good deal of discussion about the background.

For Sections I and II we have included at the end of the book a list of words for each unseen which may be 'given' at the discretion of the teacher. We have deliberately avoided the practice of printing such words at the foot of the passage, as we feel that the decision of what help should be given should rest with the teacher. It is hoped that this will allow for greater flexibility in the use of the book; the teacher may allow the class to refer to the vocabulary freely on their own; he may make his own selection and write some words on the blackboard; or he may decide to give no vocabulary help at all. The unseens can therefore be adapted to the varying standards of particular forms. No attempt has been made to systematize the words in the vocabulary; it is desirable to make vocabulary learning as systematic as possible, but the words which it is necessary to give for each unseen are not such as can be arranged in any satisfactory way. It must remain for the individual teacher to point out such important things as families of words of the same root.

In prose pieces, elisions have been restored when we felt it was necessary, but all the verse pieces have been printed with the elisions and crases as they appear in the normal text so as to avoid destroying the metre; in the earlier verse pieces a large number of such words are included in the vocabulary but we have not felt it necessary to give full versions of the commoner elisions and crases in later pieces, since these by then should be familiar to the pupils. Similarly, we have not eliminated all minor cases of variants from accepted Attic dialect in Section II.

In the Appendix, which is intended simply as a convenient source of practice passages for O level, the pieces have been printed exactly as set by the various Examining Boards.

We repeat that we do not intend the book to be 'worked through'; rather, the teacher should make his own selection from whatever part he may be using, according to the needs and interests of the class.

How the book is used as a reader will clearly be decided by each person's preference. When it is used for unseens, we feel that the first pieces tackled should come from the sequences; when some confidence has been gained, individual pieces should be done. The Appendix is intended to be used as a means of testing attainment, and the occasional piece from this section should be offered to the class when they have had some practice in Section I.

By the time the pupil is ready for unseens from Section II, it is expected that a fair amount of confidence will have been gained in dealing with isolated passages. Nevertheless, a number of sequences, some from less familiar writers, are included, and also a more difficult sequence from the *Andromache*, from which one of the sequences in Section I is taken.

Finally, the authors believe that the traditional unseen has been more effective in testing fluency in Greek reading than in encouraging it; it is in order to help in some small measure to redress this balance and to widen the range of Greek available to pupils at this level that they offer this book.

At the risk of appearing presumptuous, it may be worth while to offer a few detailed suggestions on the way in which this book may be used; the general point that it should lead to discussions of history and 'background' in the Greek field has already been made, but it may be stressed that the authors regard the stimulation and satisfaction of this sort of curiosity as a most important process.

Pupils should be trained to approach reading-material in such a way that they achieve the maximum possible speed of comprehension without sacrificing accuracy; there are a number of ways in which this may be brought about. First, they should be encouraged to take particular

notice of connecting words; such words as γάρ and οὖν
should convey to them the logical train of thought—not
so much that a γάρ sentence begins with 'for' in English,
but that it explains what has gone before, and so on; in
this way they may be brought to see the contrast between
καί and δέ at the opening of a new sentence, a nuance
which may well be important, though not to be rendered
by the difference between 'and' and 'but'. Secondly, the
importance of particles which look forward, such as τε
and μέν, may be emphasized, not to have them translated
(which is usually at least awkward in English), but so
that they may appreciate the way in which a Greek
author made his train of thought as clear as possible to
help his audience. Similarly, the importance of δή, γε, που,
etc., cannot be overstressed.

There tends to be an easy assumption that Greek word-
order approximates to English, and that that is all that
needs to be said. This is not so, and the study of the way in
which Greek sentences have been constructed can lead
to very fruitful analysis of the exact meaning of an author
in a given passage.

When dealing with a connected set of excerpts from a
given work, it may very properly be thought more im-
portant to encourage pupils to read as fast as possible, and
to reduce to a minimum the time spent on detailed points
such as those mentioned above. In such a process the most
important questions will rather centre upon the mood of
a passage: What is the author trying to convey? How is
what he says related to previous sections? Is there any
detectable 'slant' in the way in which a story is told,
or (in a play) what are the attitudes of the characters,
and can one tell what sort of people they are supposed to
be? In a historian, one will wish to look at the way in
which the history is narrated: Is the account clear and

adequate? Is it biased? How does the author achieve his
major effects, and what appears to be his ulterior motive in
telling the story, if any? Excerpts from an orator will
obviously give a chance to consider techniques of per-
suasion and the way in which a story can be made to
serve a particular purpose. It will not be easy to discuss
these points in detail in some cases, both because of the
age and relative immaturity of the pupils who are likely
to be using the book, and also because it is always hard
to discuss such topics on the basis of relatively brief ex-
tracts; none the less, something along these lines is possible,
even if at a fairly elementary level. If it is felt desirable,
it can always be continued by reading more of the work
in question, perhaps in translation.

In this context, it is perhaps worth suggesting that
even if the book is being used solely as a reader, the
isolated passages which have been included may prove of
use: they can be employed for the more detailed stylistic
and linguistic analysis of a passage, so that the class need
not pause over such points in the middle of a good story,
and so perhaps lose some of its impact. In unseen transla-
tion the single passages can be equally useful: once the
pupils are familiar with the technique of handling a pas-
sage unprepared in a context which they know, the switch
to a passage without context can show them clearly a
number of points, among them how important and helpful
the context is, and therefore how important it is to work
out as much as possible by a detailed, sensitive, and
sympathetic analysis of the passage, and secondly how
one can often use the meaning of the latter part of any
unseen to help one to unravel problems in an earlier
sentence.

From the point of view of acquiring vocabulary, it is
vital that pupils should get used to collecting words in

groups, both the nouns, adjectives, and verbs which all belong to the same stem, and also the various modifications which can be made to the meaning of a basic word by the prefixing of different prepositions to it. This is essential to the real understanding of how the language works, and at a reasonably elementary level need not be terrifying, and can be a very considerable aid to rapid comprehension.

All of these points may be brought out by asking the right questions when dealing with a piece, some before formal translation of it, others during, and others after it. The authors have not appended such questions, believing that the slant which is to be taken in the teaching of any passage must vary with each class and teacher, depending on interests, ground already covered, and individual teaching methods.

It is hoped that the above suggestions may prove of service to those using this book, and that as many of them as possible may be introduced to the pupils at the appropriate stage. For the further guidance of pupils, we append a suggested list of 'golden rules' which we would recommend every pupil to follow when faced by any piece which he has to translate under 'unseen' conditions.

SUGGESTIONS ON TACKLING AN UNSEEN

1. Before putting pen to paper, the passage should be read through at least three times. First, straight through fairly slowly, with the aim of getting the general drift of the piece (under the guidance of the title); do not pause more than a moment if the meaning of a section is not apparent. Secondly, work through each sentence carefully, with detailed attention to cases, tenses, moods, and particles. In the course of this reading, passages which

cannot be translated should be noted, including individual words not known. Thirdly, try to use the information obtained from the parts of the passage which have been translated to help unravel those which were not understood on the second reading. The importance of this process cannot be overstressed, for so often the clue to a sentence may lie in what follows it.

2. Only after the above process has been completed should a written translation be undertaken; it is vital then to make a determined effort to translate Greek idiom into *idiomatic English*: if the translation is not fluent, not merely is the exercise only half-done, but one of the great challenges and pleasures of handling languages—the effort to represent the idioms and thought-patterns of one language idiomatically, accurately, and fully in another—will have been missed.

3. Finally, four points always to be kept in mind:

a. Never leave words out, or insert words which are not there, particularly connections.

b. Always stick to what you know: do not twist or abandon the meaning of a word you *do* know to fit a guess made at a word you do *not* know.

c. When faced with an unknown word, always look for its root to see if that may provide help, and always guess at a meaning which fits both the immediate and wider context.

d. Always look for *sense*; you may be sure that nonsense is bound to be wrong!

TABLE OF REFERENCES OF
PASSAGES EXCERPTED

No details of any omissions are given; in all cases the reference covers
the full extent of the passage from which the excerpt is taken. The use
of repeat-marks means that the passages form a sequence.

SECTION I

SECTION II

[1] Passages 68–72, though not a strict sequence, are on a single theme.

[1] *O.B.G.V.* = *The Oxford Book of Greek Verse.*

SECTION I

1–7

XENOPHON was born around the year 430 B.C. in the village of Erchia about 17 miles from Athens. His family seems to have been reasonably well-off, and he probably served in the Athenian cavalry in the Peloponnesian War. In 401 he enlisted as a mercenary in the army which Cyrus (the younger) was raising in an attempt to seize the Persian throne from his brother Artaxerxes. When this attempt ended in failure, Xenophon undertook the very difficult task of leading the Greek mercenaries (the 'Ten Thousand') back from Persia to the safety of Greek civilization at Trapezus (Trebizond) on the Black Sea. Whether or not Xenophon returned to Greece after this is uncertain, but he certainly was banished from Athens, possibly for his friendship with Cyrus, and from 399 he served under the Spartans in their campaigns against the Persians in Asia Minor—possibly under Dercylidas (see passages 16–21) and certainly under Agesilaus, the Spartan king, of whom he became a close friend.

After these campaigns he lived for some time in Sparta and had his two sons educated there; he was then presented by the Spartans with an estate at Scillus, near Olympia, and he lived there for many years as a country gentleman, farming, hunting, and writing. Apart from his *Cyropaedia* ('The Education of Cyrus') from which this sequence comes, he wrote an account of his experiences with the Ten Thousand, the *Anabasis*, a history of Greece of his own times, the *Hellenica*, and some memoirs of Socrates, whose disciple he had been as a young man in Athens, the *Memorabilia*; he also wrote treatises on various topics such as horsemanship, hunting, and the duties of a cavalry officer.

His banishment was revoked in 369 B.C. when Athens made peace with Sparta but, although he seems to have visited Athens from time to time and to have sent his sons to serve in the Athenian cavalry, he continued to live at Scillus until he moved to Corinth, where he died in about 354.

The subject of these passages is not, of course, the Cyrus mentioned above, but Cyrus the Great, king of Persia from 558 to 529 B.C., the father-in-law of the Darius who sent the expedition against the Greeks at Marathon, and the grandfather of Xerxes. Cyrus' mother Mandane

was, according to Xenophon, the daughter of Astyages, king of
Media, and Cyrus spent part of his childhood with him. This is
described in the first three passages; the remaining passages describe
some aspects of Cyrus' campaign against the Assyrians.

1

His grandfather hears about the young Cyrus
and invites him to come and see him

Κῦρος γὰρ μέχρι μὲν δώδεκα ἐτῶν ἢ ὀλίγῳ πλέον ταύτῃ τῇ
παιδείᾳ ἐπαιδεύθη, καὶ πάντων τῶν ἡλίκων ἄριστος ἐφαίνετο
καὶ εἰς τὸ ταχὺ μανθάνειν ἃ δέοι καὶ εἰς τὸ καλῶς καὶ ἀνδρείως
ἕκαστα ποιεῖν. ἐκ δὲ τούτου τοῦ χρόνου μετεπέμψατο Ἀστυάγης
5 τὴν ἑαυτοῦ θυγατέρα καὶ τὸν παῖδα αὐτῆς· ἰδεῖν γὰρ ἐπεθύμει,
ὅτι ἤκουεν αὐτὸν καλὸν καὶ ἀγαθὸν εἶναι. ἔρχεται δὲ ἡ
Μανδάνη πρὸς τὸν πατέρα τὸν Κῦρον τὸν υἱὸν ἔχουσα. ὡς δὲ
τάχιστα ἀφίκετο καὶ ἔγνω ὁ Κῦρος τὸν Ἀστυάγην τῆς μητρὸς
πατέρα ὄντα, εὐθὺς ἠσπάζετο αὐτόν, καὶ εἶπεν· "Ὦ μῆτερ,
10 Περσῶν μὲν πολὺ κάλλιστος ὁ ἐμὸς πατήρ, Μήδων μέντοι ὅσους
ἑώρακα ἐγὼ καὶ ἐν ταῖς ὁδοῖς καὶ ἐπὶ ταῖς θύραις πολὺ οὗτος
ὁ ἐμὸς πάππος κάλλιστος."

XENOPHON

2

His grandfather asks him to extend his visit
and Cyrus delightedly agrees

ἐπεὶ δὲ ἡ Μανδάνη παρεσκευάζετο ἀπιέναι πάλιν πρὸς τὸν ἄνδρα
ἐδεῖτο αὐτῆς ὁ Ἀστυάγης καταλιπεῖν τὸν Κῦρον. ἡ δὲ ἀπεκρίνατο
ὅτι βούλοιτο μὲν ἅπαντα τῷ πατρὶ χαρίζεσθαι, ἄκοντα μέντοι
τὸν παῖδα χαλεπὸν εἶναι καταλιπεῖν. ἔνθα δὴ ὁ Ἀστυάγης λέγει
5 πρὸς τὸν Κῦρον, "Ὦ παῖ, ἐὰν μένῃς παρ' ἐμοί, πρῶτον μὲν

ὁπόταν βούλῃ εἰσιέναι ὡς ἐμέ, ἐξέσται σοι· ἔπειτα δὲ ἵπποις
τοῖς ἐμοῖς χρήσει καὶ ἄλλοις ὁπόσους ἂν βούλῃ, καὶ ὁπόταν
ἀπίῃς ἄπει ἔχων οὓς ἂν αὐτὸς ἐθέλῃς." ἐπεὶ ταῦτα εἶπεν ὁ
Ἀστυάγης, ἡ μήτηρ ἤρετο τὸν Κῦρον πότερον βούλεται μένειν ἢ
ἀπιέναι. ὁ δὲ οὐκ ἐμέλλησεν, ἀλλὰ ταχὺ εἶπεν ὅτι μένειν βούλοιτο. 10

XENOPHON

3

After winning the admiration of the Medes,
Cyrus is called back to Persia

ἐν μὲν δὴ Μήδοις ταῦτα ἐγεγένητο, καὶ οἵ τε ἄλλοι πάντες τὸν
Κῦρον πλεῖστον ἐπῄνουν καὶ ἐν λόγῳ καὶ ἐν ᾠδαῖς, ὅ τε Ἀστυάγης
καὶ πρόσθεν τιμῶν αὐτόν, τότε μάλιστα ἐθαύμαζεν. Καμβύσης δὲ
ὁ τοῦ Κύρου πατὴρ ἥδετο μὲν πυνθανόμενος ταῦτα, ἐπεὶ δ' ἤκου-
σεν ἔργα ἀνδρὸς ἤδη διαχειριζόμενον τὸν Κῦρον, ἀπεκάλει δὴ 5
οἴκαδε. καὶ ὁ Κῦρος ἐνταῦθα λέγεται εἰπεῖν ὅτι ἀπιέναι βούλοιτο,
μὴ ὁ πατήρ τι ἄχθοιτο καὶ ἡ πόλις μέμφοιτο. καὶ τῷ Ἀστυάγει
ἐδόκει εἶναι ἀναγκαῖον ἀποπέμπειν αὐτόν. ἔνθα δὴ ἵππους τε
αὐτῷ δοὺς οὓς αὐτὸς ἐπεθύμει λαβεῖν καὶ ἄλλα πολλά, ἔπεμπε,
καὶ διὰ τὸ φιλεῖν αὐτὸν καὶ ἅμα ἐλπίδας ἔχων μεγάλας ἐν αὐτῷ 10
ἄνδρα ἔσεσθαι ἱκανὸν τοὺς φίλους ὠφελεῖν.

XENOPHON

4

The Medes are threatened by the Assyrians,
and Cyrus' help is sought

προϊόντος δὲ τοῦ χρόνου ὁ μὲν Ἀστυάγης ἐν τοῖς Μήδοις
ἀποθνήσκει, ὁ δὲ Κυαξάρης ὁ τοῦ Ἀστυάγους παῖς, τῆς δὲ
Κύρου μητρὸς ἀδελφός, τὴν βασιλείαν ἔσχε τὴν Μήδων. ὁ δὲ

τῶν Ἀσσυρίων βασιλεὺς νενικηκὼς μὲν πάντας Σύρους, ὑπήκοον
5 δὲ πεποιημένος τὸν Ἀραβίων βασιλέα καὶ πολλοὺς ἄλλους,
ἐνόμιζεν, εἰ τοὺς Μήδους ἀσθενεῖς ποιήσαι, πάντων γε τῶν
πέριξ ῥᾳδίως ἄρξειν· ἰσχυρότατοι γὰρ ἐδόκουν εἶναι. Κυαξάρης
δέ, ἐπεὶ ᾐσθάνετο τήν τ' ἐπιβουλὴν καὶ τὴν παρασκευὴν τῶν
συνισταμένων ἐφ' ἑαυτόν, αὐτὸς εὐθὺς ὅσα ἐδύνατο ἀντιπαρε-
10 σκευάζετο καὶ εἰς Πέρσας ἔπεμπε πρὸς Καμβύσην τὸν τὴν
ἀδελφὴν ἔχοντα καὶ βασιλεύοντα ἐν Πέρσαις. ἔπεμπε δὲ καὶ πρὸς
Κῦρον, δεόμενος αὐτοῦ πειρᾶσθαι ἄρχοντα ἐλθεῖν τῶν ἀνδρῶν,
εἴ τινας πέμποι στρατιώτας ὁ Περσῶν βασιλεύς.

XENOPHON

5

An account of how Cyrus' army is built up
before his expedition to assist Cyaxares

ταύτην δὲ τὴν ἐπιστολὴν δεξαμένου τοῦ Κύρου, οἱ γέροντες
αἱροῦνται αὐτὸν ἄρχοντα τῆς εἰς Μήδους στρατιᾶς. ἔδοσαν δὲ
αὐτῷ καὶ προσελέσθαι διακοσίους τῶν ὁμοτίμων, τῶν δ' αὖ
διακοσίων ἑκάστῳ τέτταρας ἔδοσαν προσελέσθαι, καὶ τούτους ἐκ
5 τῶν ὁμοτίμων· γίγνονται μὲν δὴ οὗτοι χίλιοι· τῶν δ' αὖ χιλίων
τούτων ἑκάστῳ ἔταξαν ἐκ τοῦ δήμου τῶν Περσῶν δέκα μὲν
πελταστὰς προσελέσθαι, δέκα δὲ σφενδονήτας, δέκα δὲ τοξότας·
καὶ οὕτως ἐγένοντο μύριοι μὲν τοξόται, μύριοι δὲ πελτασταί,
μύριοι δὲ σφενδονῆται· χωρὶς δὲ τούτων ἦσαν οἱ χίλιοι. τοσαύτη
10 δὴ στρατιὰ τῷ Κύρῳ ἐδόθη. ὁ δὲ Κῦρος τοῖς στρατιώταις
πολλὰ καὶ καλὰ εἰπὼν καὶ τοῖς θεοῖς εὐξάμενος ἐξῆλθεν ἐπὶ τὴν
στρατείαν.

XENOPHON

6

Before the battle, Cyrus encourages his troops to do their best

τῇ δὲ ὑστεραίᾳ ὁ Κῦρος συνεκάλεσε πάντας τοὺς στρατιώτας
καὶ ἔλεξε τοιάδε·

"Ἄνδρες φίλοι, ὁ μὲν ἀγὼν ἐγγὺς ἡμῖν· προσέρχονται γὰρ οἱ
πολέμιοι. τὰ δὲ ἆθλα τῆς νίκης, ἐὰν μὲν ἡμεῖς νικῶμεν (τοῦτο
γὰρ ἀεὶ καὶ λέγειν καὶ ποιεῖν δεῖ), δῆλον ὅτι οἵ τε πολέμιοι 5
ἔσονται ἡμέτεροι καὶ τὰ τῶν πολεμίων ἀγαθὰ πάντα· ἐὰν δὲ
ἡμεῖς αὖ νικώμεθα—καὶ οὕτω, τὰ τῶν νικωμένων πάντα τοῖς
νικῶσιν ἀεὶ ἆθλα πρόκειται. οὕτω δὴ", ἔφη, "δεῖ ὑμᾶς γιγνώσκειν,
ὅτι ὅταν πολεμῶσιν οἱ ἄνθρωποι, εἰ ἕκαστος αὐτὸς προθυμήσεται,
τότε πολλὰ καὶ καλὰ διαπράττονται· ὅταν δὲ ἕκαστος οἴηται ὅτι 10
ἄλλος ἔσται ὁ πράττων καὶ μαχόμενος, τούτοις εὖ ἴστε ὅτι πᾶσιν
ἅμα πάντα ἥκει τὰ χαλεπά."

XENOPHON

7

Cyrus defeats the Assyrians in battle

ὑπὸ δὲ προθυμίας δρόμου τινὲς ἦρξαν, εἵπετο δὲ καὶ πᾶσα ἡ
φάλαγξ δρόμῳ. καὶ αὐτὸς ὁ Κῦρος δρόμῳ ἡγεῖτο, καὶ ἅμα
ἐβόα "Τίς ἕψεται; τίς ἀγαθός; τίς ἄνδρα πρῶτος καταβαλεῖ;"
οἱ δὲ ἀκούσαντες τὸ αὐτὸ τοῦτο ἐβόων. καὶ διὰ πάντων οὕτως
ἐχώρει ἡ βοὴ "Τίς ἕψεται; τίς ἀγαθός;" οἱ δὲ πολέμιοι οὐκέτι 5
ἐδύναντο μένειν, ἀλλὰ στραφέντες ἔφευγον εἰς τὸ ἔρυμα. οἱ δ' αὖ
Πέρσαι κατά τε τὰς εἰσόδους ἑπόμενοι πολλοὺς ἀπέκτειναν,
τοὺς δὲ εἰς τὰς τάφρους ἐμπίπτοντας ἐφόνευον, ἄνδρας ἅμα καὶ
ἵππους. καὶ οἱ τῶν Μήδων ἱππεῖς ὁρῶντες ταῦτα ἤλαυνον εἰς
τοὺς ἱππέας τοὺς τῶν πολεμίων· οἱ δὲ ἔφυγον καὶ αὐτοί. 10

XENOPHON

8–15

THE following sequence is taken from Herodotus' account of Darius' invasion of Scythia.

Darius, the son-in-law of Cyrus the Great, became king of Persia in 521 B.C., after expelling a usurper from his throne. Having restored order, he set about preparing for an invasion of the Scythians, who, Herodotus tells us, had previously invaded and conquered part of Darius' territory.

The land occupied by the Scythians lay on the north side of the Black Sea, covering the area between the Carpathians and the river Don; a rough modern equivalent would be the Ukraine and part of Rumania. They were a nomadic people; Herodotus says of them:

'Although in most respects I do not admire the Scythians, they have managed one thing, and that the most important in human affairs, better than anyone else on the face of the earth—their own preservation. For such is their way of life that no one who invades their country can escape destruction; if they wish to avoid engaging an enemy, that enemy cannot possibly come to grips with them.'

Darius controlled the Greek part of Asia Minor which is called Ionia, and was accompanied on his expedition by several contingents from that area, including one from Mytilene under Coes. The Ionians were in charge of the fleet.

Darius marched from Susa to the Bosphorus, which he had had bridged, and from here he ordered the Ionians to sail into the Black Sea as far as the Danube (ὁ Ἴστρος); they were to proceed up river for two days and then to build a bridge across it. Darius led the main army round by land through Thrace.

The invasion was a failure, but Darius and his army escaped. The campaign provided the Ionians with an opportunity of ridding themselves of their Persian masters, but their leaders refused to take it; Darius survived to become a terrible menace to the whole Greek world in his invasions at the beginning of the fifth century.

8

The start of the expedition; Darius rejects advice and deals ruthlessly with a request

Παρασκευαζομένου Δαρείου ἐπὶ τοὺς Σκύθας καὶ περιπέμποντος ἀγγέλους κελεύσοντας τοὺς μὲν πέζον στρατόν, τοὺς δὲ ναῦς

παρέχειν, τοὺς δὲ ζευγνύναι τὸν Βόσπορον, Ἀρτάβανος ἐπειρᾶτο
πεῖσαι αὐτὸν μηδαμῶς στρατείαν ἐπὶ Σκύθας ποιεῖσθαι, λέγων
χαλεπώτατον εἶναι κρατῆσαι αὐτῶν· ἀλλ' ἐπεὶ οὐδὲν ἔπραξε 5
πείθων, ὁ μὲν ἐσίγα, ὁ δὲ ἐπειδὴ τὰ πάντα παρεσκεύαστο
ἐξήλαυνε τὸν στρατὸν ἐκ Σούσων. ἐνταῦθα τῶν Περσῶν Οἰόβαζος
ἐδεήθη Δαρείου τριῶν ὄντων παίδων ἑαυτῷ καὶ πάντων στρατευο-
μένων ἕνα καταλειφθῆναι. ὁ δὲ ἔφη ὡς φίλῳ ὄντι καὶ οὐδένος
μεγάλου δεομένῳ πάντας τοὺς παῖδας καταλείψειν. ὁ μὲν δὴ 10
Οἰόβαζος περιχαρὴς ἦν, ἐλπίζων τοὺς υἵους στρατείας ἀπο-
λελύσθαι· ὁ δὲ κελεύει τοὺς ἐπὶ τούτων ἐφεστῶτας ἀποκτεῖναι
πάντας τοὺς Οἰοβάζου παῖδας· καὶ οὗτοι ἀποσφαγέντες ἐλείποντο.

HERODOTUS

9

At the bridge over the Danube, Coes gives
Darius some advice

Δαρεῖος δ' ὡς ἀφίκετο καὶ ἅμα αὐτῷ ὁ πεζὸς στρατὸς ἐπὶ τὸν
Ἴστρον, ἐνταῦθα, διαβάντων πάντων, ἐκέλευσε τοὺς Ἴωνας, τὴν
γέφυραν λύσαντας, ἕπεσθαι ἑαυτῷ. μελλόντων δὲ τῶν Ἰώνων
λύειν, Κώης, ὁ Μυτιληναίων στρατηγός, εἶπε Δαρείῳ τάδε·
"Ὦ βασιλεῦ, ἐπὶ γῆν μέλλεις στρατεύεσθαι ἐν ᾗ οὔτε πολὺς 5
σῖτός ἐστιν οὔτε πόλις οἰκουμένη· σύ νυν ἔα ταύτην τὴν γέφυραν
ἑστάναι, φύλακας λιπὼν τούτους οἳ ἔζευξαν αὐτήν· καὶ ἐὰν
εὕρωμεν τοὺς Σκύθας ἐάν τε μὴ εὑρεῖν δυνώμεθα, ἡ ἄφοδος ἡμῖν
ἀσφαλὴς ἔσται· οὐ γὰρ φοβοῦμαι μὴ ὑπὸ Σκυθῶν μάχῃ νικώμεθα
ἀλλὰ μή, οὐ δυνάμενοι εὑρεῖν αὐτούς, πάθωμέν τι ἀλώμενοι. 10
καὶ ἴσως ἂν φαίη τίς με τάδε λέγειν ἐμαυτοῦ ἕνεκα, ὡς κατα-
μένω· ἐγὼ δὲ γνώμην τὴν ἀρίστην εὑρίσκων σοι, ἐς μέσον φέρω,
αὐτὸς μέντοι ἕψομαί σοι καὶ οὐκ ἂν λειφθείην."

HERODOTUS

10

Darius gives the Ionians a primitive computer with which to count the days of his absence

κάρτα τε ἤσθη τῇ γνώμῃ Δαρεῖος καὶ ἀπεκρίνατο τοιάδε. "Ὦ
Κώῃ, σωθέντος ἐμοῦ ὀπίσω, εἰς οἶκον τὸν ἐμὸν ἔλθε ἵνα σε ἀντὶ
χρηστῆς συμβουλῆς χρηστοῖσιν ἔργοις ἀμείψωμαι." ταῦτα εἰπὼν
καὶ ἀφάψας ἅμματα ἑξήκοντα ἐν ἱμάντι, καλέσας εἰς λόγους
5 τοὺς Ἰώνων τυράννους εἶπε τάδε· "Ἄνδρες Ἴωνες, ἡ μὲν περὶ τῆς
γεφύρας προτέρα γνώμη οὐκέτι ἀρέσκει· ὑμεῖς δὲ ἔχοντες τὸν
ἱμάντα τόνδε ποιεῖτε τάδε· ἐπειδὰν τάχιστα ἴδητε ἐμὲ πορευό-
μενον ἐπὶ Σκύθας, ἀπὸ τούτου τοῦ χρόνου ἀρξάμενοι λύετε ἅμμα
ἓν ἑκάστης ἡμέρας. ἐὰν δὲ ἐν τούτῳ τῷ χρόνῳ μὴ παρῶ, ἀλλὰ
10 διεξέλθωσιν ὑμῖν αἱ ἡμέραι τῶν ἀμμάτων, ἀποπλεῖτε εἰς τὴν
ὑμετέραν γῆν. μέχρι δὲ τούτου φυλάσσετε τὴν γέφυραν, πᾶσαν
προθυμίαν σωτηρίας τε καὶ φυλακῆς παρεχόμενοι· ταῦτα δὲ
ποιοῦντες ἐμοὶ μεγάλως χαριεῖσθε."

HERODOTUS

11

Darius is perplexed by the Scythians' tactics; he receives an ominous message from them

ὡς δὲ οἱ Σκύθαι ἀεὶ ἀνεχώρουν καὶ οὐκ ἤθελον εἰς χεῖρας
ἐλθεῖν, πέμψας Δαρεῖος ἱππέα παρὰ τὸν Σκυθῶν βασιλέα
Ἰδάνθυρσον εἶπε τάδε· "Δαιμόνιε ἀνδρῶν, τί φεύγεις ἀεί; εἰ μὲν
γὰρ δοκεῖς σεαυτῷ ἄξιος εἶναι ἐμοίγε ἐναντιωθῆναι, εἰς μάχην
5 ἔλθε· εἰ δὲ ὁμολογεῖς εἶναι ἥσσων, παυσάμενος τοῦ δρόμου
δεσπότῃ τε τῷ σῷ δῶρα φέρων γῆν τε καὶ ὕδωρ, ἔλθε εἰς λόγους."
πρὸς ταῦτα ὁ Σκυθῶν βασιλεὺς εἶπε τάδε· "Οὕτω τὸ ἐμὸν
ἔχει, ὦ Πέρσα· ἐγὼ οὐδένα πω ἀνθρώπων φοβούμενος ἔφυγον,
οὔτε πρότερον οὔτε νῦν σὲ φεύγω· ἡμῖν οὔτε πόλεις οὔτε γῆ

πεφυτευμένη ἔστι περὶ ὧν φοβούμενοι ἔλθοιμεν ἂν εἰς μάχην· 10
τυγχάνουσι δὲ ἡμῖν ὄντες τάφοι πατρῷοι· εἰ ἐθέλετε ὡς τάχιστα
εἰς χεῖρας ἐλθεῖν, τούτους ἀνευρόντες πειρᾶσθε διαφθεῖραι καὶ
γνώσεσθε τότε εἴτε ὑμῖν μαχησόμεθα. σοὶ δὲ ἀντὶ μὲν δώρων
γῆς τε καὶ ὕδατος δῶρα πέμψω τοιαῦτα οἷα σοὶ πρέπει."

HERODOTUS

12

Darius puzzles over the meaning of the strange gifts he has received from the Scythians

τέλος δὲ Δαρεῖος ἐν ἀπορίᾳ ἦν καὶ οἱ Σκυθῶν βασιλεῖς μαθόντες
τοῦτο ἔπεμπον κήρυκα δῶρα φέροντα ὄρνιθά τε καὶ μῦν καὶ
βάτραχον καὶ τοξεύματα πέντε. οἱ δὲ Πέρσαι τὸν φέροντα ἤροντο
τί θέλει τὰ δῶρα λέγειν· ὁ δ' ἔφη αὐτοὺς τοὺς Πέρσας, εἰ σοφοί
εἰσι, γνῶναι δύνασθαι. ταῦτα ἀκούσαντες οἱ Πέρσαι ἐβουλεύοντο. 5
Δαρείου μὲν ἡ γνώμη ἦν Σκύθας ἑαυτῷ διδόναι σφᾶς τε αὐτοὺς
καὶ γῆν καὶ ὕδωρ, εἰκάζων τῇδε, ὡς μῦς μὲν ἐν γῇ γίγνεται,
βάτραχος δὲ ἐν ὕδατι, ὄρνις δὲ μάλιστα ἔοικε ἵππῳ, τὰ δὲ τοξεύ-
ματα παραδιδόασι ὡς τὴν ἑαυτῶν ἀλκήν. ὁ δὲ Γωβρύης εἰκάζων
τὰ δῶρα εἶπε τάδε· "'Ἐὰν μὴ ὄρνιθες γενόμενοι ἀναπτῆσθε εἰς 10
τὸν οὐρανόν, ὦ Πέρσαι, ἢ μύες γενόμενοι κατὰ τῆς γῆς κατα-
δύητε, ἢ βάτραχοι γενόμενοι εἰς τὰς λίμνας εἰσπηδήσητε, ὑπὸ
τῶνδε τῶν τοξευμάτων βαλλόμενοι οὐκ ἀπονοστήσετε οὐδέποτε."

HERODOTUS

13

The Scythians try to cut off Darius' retreat and later bewilder him by their behaviour before battle

καὶ ἔνιοι μὲν τῶν Σκυθῶν ἐπὶ τὸν Ἴστρον εἰς λόγους τοῖς
Ἴωσιν ἦλθον καὶ ἔλεγον τάδε· "Ἄνδρες Ἴωνες, πυνθανόμεθα

Δαρεῖον κελεύσαντα ὑμᾶς ἑξήκοντα ἡμέρας μόνας φυλάξαντας
τὴν γέφυραν εἰς τὴν ὑμετέραν γῆν ἀπελθεῖν· παραμείναντες οὖν
5 τὰς προκειμένας ἡμέρας, ἐπανέλθετε· νῦν οὖν ὑμᾶς τάδε ποιοῦν-
τας οὔτε Δαρεῖος μέμψεται οὔτε ἡμεῖς." καὶ τάδε εἰπόντες τὴν
ταχίστην ἀπῆλθον. οἱ δὲ ἄλλοι Σκύθαι Δαρείῳ προσβαλεῖν
ἔμελλον. καὶ τεταγμένων αὐτῶν εἰς μάχην, λαγῶς εἰς τὸ μέσον
ἔδραμε· αὐτῶν δὲ ὡς ἕκαστοι εἶδον τὸν λαγὼν ἐδίωκον· ταρα-
10 χθέντων δὲ τῶν Σκυθῶν, ἤρετο ὁ Δαρεῖος διὰ τί θορυβοῦσι·
πυθόμενος δὲ αὐτοὺς λαγὼν διώκοντας, εἶπε πρὸς ἑταῖρόν τινα·
"Οὗτοι οἱ ἄνδρες ἡμῶν πολὺ δὴ καταφρονοῦσι, καί μοι νῦν
φαίνεται Γωβρύης εἰπεῖν ὀρθῶς περὶ τῶν δώρων. δεῖ οὖν
βουλῆς ἀγαθῆς ὅπως ἀσφαλῶς ἐπανέλθωμεν."

HERODOTUS

14

Darius accepts Gobryes' plan for getting back to the bridge

πρὸς ταῦτα Γωβρύης εἶπε· "Ὦ βασιλεῦ, ἐγὼ πρότερον μὲν καὶ
λόγῳ ἠπιστάμην τούτων τῶν ἀνδρῶν τὴν ἀπορίαν, ἐλθὼν δὲ
μᾶλλον ἐξέμαθον, ὁρῶν αὐτοὺς ἐμπαίζοντας ἡμῖν. νῦν οὖν μοι
δοκεῖ, ἐπειδὰν τάχιστα νὺξ ἐπέλθῃ, ἐκκαύσαντας τὰ πυρὰ ὡς
5 εἰώθαμεν, τῶν στρατιωτῶν τοὺς ἀσθενεστάτους λιπόντας καὶ
τοὺς ὄνους πάντας καταδήσαντας ἀπαλλάσσεσθαι πρὶν ἢ καὶ ἐπὶ
τὸν Ἴστρον ἐλθόντας τοὺς Σκύθας λῦσαι τὴν γέφυραν ἢ καὶ
τοὺς Ἴωνας κακόν τι ἡμᾶς ποιεῖν." ἐπεὶ οὖν νὺξ ἐγένετο, ὁ
Δαρεῖος πυρὰ ἐκκαύσας καὶ τοὺς ἀσθενεστάτους ὑπολείπων
10 ἠπείγετο πρὸς τὸν Ἴστρον· οἱ δὲ ὄνοι ἐρημωθέντες πολλὴν
βοὴν παρείχοντο, ἀκούσαντες δὲ οἱ Σκύθαι ἤλπιζον ἔτι κατὰ
χώραν εἶναι τοὺς Πέρσας. ἡμέρας δὲ γενομένης, γνόντες οἱ
ὑπολειφθέντες ὡς προδεδομένοι εἶεν ὑπὸ Δαρείου ἔλεγον τοῖς
Σκύθαις ἃ συνέβη. οἱ δὲ ὡς τάχιστα ἐδίωκον τοὺς Πέρσας ἐπὶ

τὸν Ἴστρον· ἅτε δὲ ἐκείνων τὰς ὁδοὺς οὐκ ἐπισταμένων, ἔφθασαν 15
πολλῷ οἱ Σκύθαι ἐπὶ τὴν γέφυραν ἀφικόμενοι.

HERODOTUS

15

The Scythians fail to persuade the Ionians to destroy the bridge and so Darius and his army escape

οἱ δὲ Σκύθαι πρὸς τὴν γέφυραν ἀφικόμενοι ἔλεγον πρὸς τοὺς Ἴωνας
ἐν ταῖς ναυσὶν ὄντας· " Ἄνδρες Ἴωνες, νῦν δὴ λύσαντες τὴν γέφυραν
ἄπιτε χαίροντες ἐλεύθεροι, θεοῖσί τε καὶ Σκύθαις εἰδότες χάριν."
πρὸς ταῦτα Ἴωνες ἐβουλεύοντο· ἤθελον μὲν γὰρ ἐλευθεροῦν τὴν
Ἰωνίαν, ἐφοβοῦντο δὲ τὴν τοῦ Δαρείου ὀργήν. ἔδοξε οὖν ἐξαπατᾶν 5
τοὺς Σκύθας καὶ λύειν μέρος τι τῆς γεφύρας ἵνα ποιεῖν τι
δοκῶσι, ποιοῦντες μηδέν· καὶ εἶπον· " Ἄνδρες Σκύθαι, χρηστὰ
ἥκετε φέροντες καὶ εἰς καιρόν· ὡς ὁρᾶτε, λύομεν τὴν γέφυραν καὶ
πᾶσαν προθυμίαν ἕξομεν, ἐθέλοντες εἶναι ἐλεύθεροι· ἐν ᾧ δὲ
ἡμεῖς τάδε λύομεν, ὑμᾶς καιρός ἐστι ζητεῖν ἐκείνους, εὑρόντας δὲ 10
κολάζειν ὡς πρέπει." οἱ Σκύθαι Ἴωσι πιστεύοντες λέγειν ἀληθῆ
ὑπέστρεφον ἐπὶ ζήτησιν τῶν Περσῶν· οὐ μέντοι ἐξεῦρον. ἐπεὶ
δὲ Πέρσαι ἀφίκοντο πρὸς τὴν γέφυραν, οἱ Ἴωνες αὖθις ἔζευξαν·
οἱ Πέρσαι μὲν οὕτως ἐξέφυγον, οἱ δὲ Σκύθαι κακίστους καὶ
ἀνανδροτάτους κρίνουσιν ἁπάντων ἀνθρώπων εἶναι Ἴωνας.   15

HERODOTUS

16–21

IN his *Hellenica* Xenophon describes the history of his own times,
from 411 B.C., when he was about twenty, until 362 B.C. A brief
account of his life is given on p. 15.

The historical background of these extracts is as follows: Sparta
had been greatly helped by Persia in her war against Athens, but
when Artaxerxes II ordered his satraps (provincial governors) to

restore Persian control over the Greeks of Asia, Sparta responded to a request from them for help, and between 399 and 395 contingents under Spartan command were fighting Persian troops in Asia Minor. The events described here took place in Aeolis, an area in north-west Asia Minor near the ancient city of Troy. Dercylidas was the Spartan commander, and Pharnabazus the satrap of Dascyleum, a city in Bithynia on the southern shore of the Propontis (the Sea of Marmara). Aeolis was an area controlled by Pharnabazus but it was governed by a satrap under him; this sequence tells how Meidias made himself satrap of Aeolis and how he was overthrown by Dercylidas.

It is possible that Xenophon himself served under Dercylidas in these campaigns.

16

Pharnabazus appoints a woman satrap

ἡ δὲ Αἰολὶς ἦν μὲν Φαρναβάζου, ἐσατράπευε δὲ ταύτης τῆς χώρας, ἕως μὲν ἔζη, Ζῆνις Δαρδανεύς· ἐπειδὴ δὲ ἐκεῖνος νόσῳ ἀπέθανε, παρασκευαζομένου τοῦ Φαρναβάζου ἄλλῳ δοῦναι τὴν σατραπείαν, Μανία ἡ τοῦ Ζήνιος γυνή, ἀναζεύξασα στόλον ἐπο-
5 ρεύετο πρὸς αὐτὸν δῶρα λαβοῦσα ἵνα καὶ αὐτῷ Φαρναβάζῳ δοίη καὶ χαρίσαιτο τοῖς παρὰ Φαρναβάζῳ μάλιστα δυναμένοις. ἐλθοῦσα δ' εἰς λόγους, εἶπεν· "Ὦ Φαρνάβαζε, ὁ ἀνήρ σοι ὁ ἐμὸς καὶ τὰ ἄλλα φίλος ἦν καὶ τοὺς φόρους ἀπεδίδου, ὥστε ἐπαινῶν αὐτὸν ἐτίμας. ἐὰν οὖν ἐγώ σοι μηδὲν χεῖρον ἐκείνου
10 ὑπηρετῶ, τί σε δεῖ ἄλλον σατράπην καθιστάναι; ἐὰν δέ τί σοι μὴ ἀρέσκω, ἐπὶ σοὶ δήπου ἔσται ἀφελομένῳ ἐμὲ ἄλλῳ δοῦναι τὴν ἀρχήν." ἀκούσας ταῦτα ὁ Φαρνάβαζος ἔγνω δεῖν τὴν γυναῖκα σατραπεύειν. ἡ δ' ἐπεὶ κυρία τῆς χώρας ἐγένετο, τούς τε φόρους οὐδὲν ἧττον τοῦ ἀνδρὸς ἀπεδίδου καὶ πρὸς τούτοις, ὅποτε
15 ἐκεῖνος εἰς τὴν χώραν καταβαίνοι, πολὺ πάντων τῶν ὑπάρχων κάλλιστα καὶ ἥδιστα ἐδέχετο αὐτόν.

XENOPHON

17

Meidias ousts his mother-in-law

ἤδη δ' οὔσης τῆς Μανίας ἐτῶν πλέον ἢ τετταράκοντα, Μειδίας,
θυγατρὸς αὐτῆς ἀνὴρ ὤν, νομίζων αἰσχρὸν εἶναι γυναῖκα μὲν
ἄρχειν, ἑαυτὸν δ' ἰδιώτην εἶναι, μάλα φυλαττομένης αὐτῆς τοὺς
μὲν ἄλλους, ὥσπερ ἐν τυραννίδι προσῆκεν, ἐκείνῳ δὲ πιστευούσης
καὶ ἀσπαζομένης ὥσπερ ἂν γυνὴ γαμβρὸν ἀσπάζοιτο, εἰσελθὼν 5
ἀποπνῖξαι αὐτὴν λέγεται. ἀπέκτεινε δὲ καὶ τὸν υἱὸν αὐτῆς, τό
τε εἶδος ὄντα καλὸν καὶ ἐτῶν ὄντα ὡς ἑπτακαίδεκα. ταῦτα δὲ
ποιήσας Σκῆψιν καὶ Γέργιθα ἰσχυρὰς πόλεις κατέσχεν, ὅπου
καὶ τῶν χρημάτων τὰ πλεῖστα ἦν τῇ Μανίᾳ. αἱ δ' ἄλλαι πόλεις
οὐκ ἐδέχοντο αὐτόν, ἀλλὰ Φαρναβάζῳ ἔσῳζον αὐτὰς οἱ ἔνοντες 10
φρουροί. ἐκ δὲ τούτου ὁ Μειδίας πέμψας δῶρα τῷ Φαρναβάζῳ
ἠξίου ἔχειν τὴν χώραν ὥσπερ ἡ Μανία. ὁ δ' ἀπέκρινατο φυλάτ-
τειν αὐτά, μέχρι ἂν αὐτὸς ἐλθὼν λάβῃ τά τε δῶρα καὶ αὐτόν·
οὐ γὰρ ἔφη ζῆν βούλεσθαι μὴ τιμωρήσας Μανίᾳ.

XENOPHON

18

Dercylidas decides to attack Cebren, a city in Aeolis, but is delayed by unpropitious sacrifices

ὁ δὲ Δερκυλίδας ἐν τούτῳ τῷ καιρῷ ἀφικνεῖται, καὶ εὐθὺς μὲν
ἐν μιᾷ ἡμέρᾳ Λάρισαν καὶ Ἁμαξιτὸν καὶ Κολωνὰς τὰς ἐπιθαλατ-
τίους πόλεις ἑκούσας παρέλαβε· πέμπων δὲ καὶ πρὸς τὰς
Αἰολίδας πόλεις ἠξίου ἐλευθεροῦσθαί τε αὐτὰς καὶ εἰς τὰ τείχη
δέχεσθαι καὶ συμμάχους γίγνεσθαι. οἱ μὲν οὖν Νεανδρεῖς καὶ 5
Ἰλιεῖς καὶ Κοκυλῖται ἐπείθοντο· ὁ δ' ἐν Κεβρῆνι, μαλὰ ἰσχυρῷ
χωρίῳ, τὴν φυλακὴν ἔχων, νομίσας, εἰ διαφυλάξειε Φαρναβάζῳ
τὴν πόλιν, τιμηθῆναι ἂν ὑπ' ἐκείνου, οὐκ ἐδέχετο τὸν Δερκυλίδαν.

ὁ δὲ ὀργιζόμενος παρεσκευάζετο προσβάλλειν. ἐπεὶ δὲ θυομένῳ
10 αὐτῷ οὐκ ἐγίγνετο τὰ ἱερὰ καλὰ τῇ πρώτῃ, τῇ ὑστεραίᾳ πάλιν
ἐθύετο. ὡς δὲ οὐδὲ ταῦτα ἐκαλλιερεῖτο, πάλιν τῇ τρίτῃ· καὶ
μέχρι τεττάρων ἡμερῶν διετέλει θυόμενος μαλὰ χαλεπῶς φέρων·
ἔσπευδε γὰρ πρὶν Φαρνάβαζον βοηθῆσαι ἐγκρατὴς γενέσθαι
πάσης τῆς Αἰολίδος.

XENOPHON

19

The city of Cebren opens its gates to
Dercylidas; Meidias also submits

ἀχθομένου δὲ τοῦ Δερκυλίδου, ἔρχονται ἐκ τοῦ τείχους παρὰ
τῶν Ἑλλήνων κήρυκες, καὶ εἶπον ὅτι ἃ μὲν ὁ ἄρχων ποιοίη οὐκ
ἀρέσκοι σφίσιν, αὐτοὶ δὲ βούλοιντο σὺν τοῖς Ἕλλησι μᾶλλον ἢ
σὺν τῷ βαρβάρῳ εἶναι. ἔτι δὲ διαλεγομένων αὐτῶν ταῦτα, παρὰ
5 τοῦ ἄρχοντος αὐτῶν ἄγγελος ἦκε λέγων ὅτι ὅσα λέγοιεν οἱ
πρόσθεν καὶ αὐτῷ δοκοῦντα λέγοιεν. ὁ οὖν Δερκυλίδας εὐθὺς
ὥσπερ ἔτυχε κεκαλλιερηκὼς ταύτῃ τῇ ἡμέρᾳ, ἀναλαβὼν τὰ
ὅπλα ἡγεῖτο πρὸς τὰς πύλας· οἱ δ' ἀναπετάσαντες ἐδέξαντο.
καταστήσας δὲ καὶ ἐνταῦθα φρουροὺς εὐθὺς ᾔει ἐπὶ τὴν Σκῆψιν
10 καὶ τὴν Γέργιθα. ὁ δὲ Μειδίας προσδοκῶν μὲν τὸν Φαρνάβαζον,
φοβούμενος δ' ἤδη τοὺς πολίτας, πέμψας πρὸς τὸν Δερκυλίδαν
ἠρώτα ἐπὶ τίσιν ἂν σύμμαχος γένοιτο. ὁ δ' ἀπεκρίνατο ἐφ'
ᾧτε τοὺς πολίτας ἐλευθέρους τε καὶ αὐτονόμους ἐᾶν. καὶ ἅμα
τοῦτο λέγων ᾔει πρὸς τὴν Σκῆψιν. γνοὺς δὲ ὁ Μειδίας ὅτι οὐκ
15 ἂν δύναιτο κωλύειν βίᾳ τῶν πολιτῶν, εἴασεν αὐτὸν εἰσιέναι.

XENOPHON

20

Dercylidas sees that Meidias gets his deserts

ὁ δὲ Δερκυλίδας εἰσῆλθεν καὶ ἔχων τὸν Μειδίαν ἐπορεύετο πρὸς τὴν ἀκρόπολιν, ὅπου ἔθυε τῇ Ἀθηνῇ. ἐπεὶ δ' ἐτέθυτο, ἠρώτα· " Εἰπέ μοι, ὦ Μειδία, ὁ πατήρ σε ἄρχοντα τοῦ οἴκου κατέλιπε;" "Μάλιστα", ἔφη. "Καὶ πόσαι σοι οἰκίαι ἦσαν; πόσοι δὲ χῶροι; πόσαι δὲ νομαί;" ἐπειδὴ δὲ ἀπεγέγραπτο τὰ πατρῷα, "Εἰπέ 5 μοι," ἔφη, "Μανία δὲ τίνος ἦν;" οἱ δὲ παρόντες πάντες εἶπον, "Φαρναβάζου." "Οὐκοῦν καὶ τὰ ἐκείνης", ἔφη, "Φαρναβάζου;" "Μάλιστα", ἔφασαν. "'Ημέτερα ἂν εἴη", ἔφη, "ἐπεὶ κρατοῦμεν· πολέμιος γὰρ ἡμῖν Φαρνάβαζος. ἀλλ' ἡγείσθω τις, ὅπου κεῖται τὰ Μανίας." ἐπεὶ δ' εἰσῆλθεν εἰς τὴν Μανίας οἴκησιν, ἣν 10 παρειλήφει ὁ Μειδίας, ἐκάλει ὁ Δερκυλίδας τοὺς ταμίας, φράσας δὲ τοῖς ὑπηρέταις λαβεῖν αὐτούς, προεῖπεν αὐτοῖς ὡς εἴ τι κλέπτοντες ἁλώσονται τῶν Μανίας, εὐθὺς ἀποσφαγήσονται· οἱ δ' ἐδείκνυσαν. ὁ δ' ἐπεὶ εἶδε πάντα, κατέκλεισεν αὐτὰ καὶ φύλακας κατέστησεν. ἐρομένου δὲ τοῦ Μειδίου· "'Εμὲ δὲ 15 ποῦ χρὴ οἰκεῖν, ὦ Δερκυλίδα;" ἀπεκρίνατο· "'Ένθαπερ καὶ δικαιότατον, ὦ Μειδία, ἐν τῇ πατρίδι τῇ σαυτοῦ Σκήψει καὶ ἐν τῇ πατρῴα οἰκίᾳ."

XENOPHON

21

Dercylidas makes a truce with Pharnabazus and is able to spend a profitable winter in Bithynia

ὁ μὲν δὴ Δερκυλίδας ταῦτα διαπραξάμενος, καὶ λαβὼν ἐν ὀκτὼ ἡμέραις ἐννέα πόλεις, ἐβουλεύετο ὅπως ἂν μὴ ἐν τῇ φιλίᾳ γῇ χειμάζων βαρὺς εἴη τοῖς συμμάχοις, μηδ' αὖ Φαρνάβαζος, καταφρονῶν αὐτοῦ, τῇ ἵππῳ κακουργῇ τὰς Ἑλληνίδας πόλεις.

5 πέμπει οὖν πρὸς αὐτόν, καὶ ἐρωτᾷ πότερον βούλεται εἰρήνην
ἢ πόλεμον ἔχειν. ὁ μέντοι Φαρνάβαζος, νομίσας τὴν Αἰολίδα
πολεμίαν αὐτῷ καθεστάναι, σπονδὰς εἵλετο.

ὡς δὲ ταῦτα ἐγένετο, ἐλθὼν ὁ Δερκυλίδας ἐς τὴν Βιθυνίδα
ἐκεῖ διεχείμαζεν, οὐδὲν τοῦ Φαρναβάζου ἀχθομένου· πολλάκις
10 γὰρ οἱ Βιθυνοὶ ἐπολέμουν. καὶ ὁ Δερκυλίδας ἀσφαλῶς φέρων
καὶ ἄγων τὴν Βιθυνίδα, καὶ ἄφθονα ἔχων τὰ ἐπιτήδεια, διετέλει.

XENOPHON

22

At the beginning of his history, Thucydides describes a petty quarrel
between Corcyra (the modern Corfu) and Corinth in 435 B.C., which
was to lead to the great Peloponnesian War. Epidamnus, a colony
of Corcyra, troubled by internal political strife, appealed to her
mother-city for help. When this was refused, they appealed to
Corinth, the mother-city of Corcyra, who assisted by sending
troops and colonists to the city. Corcyra then besieged Epidamnus.
Neither side would agree to discuss peace-terms until the other had
withdrawn its troops; the first clash occurred at sea.

22

The Corinthians, after due warning, are
defeated by the Corcyreans

Κορίνθιοι δὲ ἐπειδὴ πλήρεις αὐτοῖς ἦσαν αἱ νῆες καὶ οἱ ξύμμαχοι
παρῆσαν, προπέμψαντες κήρυκα πρότερον πόλεμον προεροῦντα
Κερκυραίοις, ἄραντες ἑβδομήκοντα ναυσὶ καὶ πέντε δισχιλίοις
τε ὁπλίταις ἔπλεον ἐπὶ τὴν Ἐπίδαμνον. ἐπειδὴ δ' ἐγένοντο ἐν
5 Ἀκτίῳ τῆς Ἀνακτορίας γῆς, οὗ τὸ ἱερὸν τοῦ Ἀπόλλωνός ἐστιν,
ἐπὶ τῷ στόματι τοῦ Ἀμπρακικοῦ κόλπου, οἱ Κερκυραῖοι κήρυκά
τε προύπεμψαν αὐτοῖς ἐν ἀκατίῳ ἀπεροῦντα μὴ πλεῖν ἐπὶ σφᾶς
καὶ τὰς ναῦς ἅμα ἐπλήρουν. ὡς δὲ ὁ κῆρύξ τε ἀπήγγειλεν οὐδὲν
εἰρηναῖον παρὰ τῶν Κοοινθίων καὶ αἱ νῆες αὐτοῖς ἐπεπλήρωντο

οὖσαι ὀγδοήκοντα, ἀνταναγαγόμενοι καὶ παραταξάμενοι ἐναυ- 10
μάχησαν· καὶ ἐνίκησαν οἱ Κερκυραῖοι παρὰ πολὺ καὶ ναῦς πέντε
καὶ δέκα διέφθειραν τῶν Κορινθίων.

THUCYDIDES

23

IN about the year 546 B.C. Croesus, the fabulously rich king of
Lydia, encouraged by the Delphic oracle (which told him that if he
crossed the river Halys he would destroy a mighty kingdom), attacked
the Persian forces under Cyrus. This extract describes the last battle
in the campaign, when Croesus had to fight before his capital, Sardis;
Croesus probably perished on this occasion, but numerous legends
are told about his end.

23

Cyrus makes good use of his camels

καὶ ὁ Κῦρος τὰς καμήλους αὐτοῦ ἔταξεν ἐναντίον τῆς τοῦ
Κροίσου ἵππου· κάμηλον γὰρ ἵππος φοβεῖται καὶ οὐκ ἀνέχεται
οὐδὲ τὴν ὄψιν αὐτῆς ὁρῶν οὐδὲ τὴν ὀσμὴν ὀσφραινόμενος. τοῦτο
οὖν ἐποίησεν, ἵνα ὁ Κροῖσος μὴ δύνηται χρῆσθαι τῷ ἱππικῷ, ἐν
ᾧ καὶ μάλιστα ἐπίστευεν. ὅτε δὲ συνῆλθον ἐς τὴν μάχην, ὡς 5
τάχιστα ὤσφροντο τῶν καμήλων οἱ ἵπποι καὶ εἶδον αὐτάς,
ὀπίσω ἀνέστρεφον, διέφθαρτό τε τῷ Κροίσῳ ἡ ἐλπίς. οὐ μέντοι
οἵ γε Λυδοὶ δειλοὶ ἦσαν, ἀλλ᾽ ὡς ἔμαθον τὸ γιγνόμενον, ἀπο-
θορόντες ἀπὸ τῶν ἵππων πεζοὶ τοῖς Πέρσαις συνέβαλλον. τέλος
δὲ ἐτράποντο οἱ Λυδοί, καὶ ἐσδραμόντες ἐς τὸ ἄστυ ἐπολιορκοῦντο 10
ὑπὸ τῶν Περσῶν.

HERODOTUS

24

CAMBYSES was king of Persia from 529 to 521 B.C. He planned an expedition against Ethiopia and sent some spies there to make preliminary investigations. (Cambyses did in fact send his expedition, but because of inadequate preparation it disintegrated before reaching Ethiopia.)

24

The Ethiopians tell Cambyses' spies that they are under no illusions

ὁ δὲ Αἰθίοψ, μαθὼν ὅτι κατόπται ἥκοιεν, λέγει πρὸς αὐτοὺς τοιάδε· "Οὔτε ὁ Περσῶν βασιλεὺς δῶρα ὑμᾶς ἔπεμψε φέροντας βουλόμενος ἐμοὶ ξένος γενέσθαι, οὔτε ὑμεῖς λέγετε ἀληθῆ (ἥκετε γὰρ κατόπται τῆς ἐμῆς ἀρχῆς), οὔτε ἐκεῖνος ἀνήρ ἐστι
5 δίκαιος· εἰ γὰρ ἦν δίκαιος, οὔτ' ἂν ἐπεθύμησε χώρας ἄλλης ἢ τῆς ἑαυτοῦ, οὔτ' ἂν ἐς δουλοσύνην ἀνθρώπους ἦγεν ὑφ' ὧν οὐδὲν ἠδίκηται. νῦν δὲ αὐτῷ τόξον τόδε διδόντες τάδε ἔπη λέγετε· 'Βασιλεὺς ὁ Αἰθιόπων συμβουλεύει τῷ Περσῶν βασιλεῖ, τότε ἐπ' Αἰθίοπας τοὺς μακροβίους στρατεύεσθαι, ἐπειδὰν οὕτως
10 ῥᾳδίως Πέρσαι ἕλκωσι τόξα ὄντα μεγέθει τοσαῦτα· μέχρι δὲ τούτου θεοῖς εἰδέναι χάριν, ὅτι οὐκ ἐν νῷ ἔχουσιν οἱ Αἰθίοπες γῆν ἄλλην προσκτᾶσθαι τῇ ἑαυτῶν.'" ταῦτα δὲ εἰπὼν καὶ ἀνεὶς τὸ τόξον παρέδωκε τοῖς ἥκουσι.

HERODOTUS

25–6

THE next two passages are about Themistocles, the Athenian statesman who was largely responsible for the Greek victory over the Persians. The first passage is by Plutarch, a Greek writer of the first century A.D. who, among many other works, wrote a series of biographies of Greek and Roman statesmen; it deals with the Greek attitude to Themistocles after the war. In later years, however, his reputation declined, and he was ostracized around 470 B.C.

Eventually he was suspected of negotiations with the Persians, and the Spartans demanded his punishment. Themistocles had to flee for his life, but he was too cunning for his pursuers and finally was given a governorship under Artaxerxes.

25

The Greeks' admiration and envy of Themistocles after the battle of Salamis

πόλεων μὲν οὖν τὴν Αἰγινητῶν ἀριστεῦσαί φησιν Ἡρόδοτος, Θεμιστοκλεῖ δέ, καίπερ ἄκοντες ὑπὸ φθόνου, τὸ πρωτεῖον ἀπέδοσαν ἅπαντες. ἐπεὶ γὰρ ἀναχωρήσαντες εἰς τὸν Ἰσθμὸν ἀπὸ τοῦ βωμοῦ τὴν ψῆφον ἔφερον οἱ στρατηγοί, πρῶτον μὲν ἕκαστος ἑαυτὸν ἀπέφαινεν ἀρετῇ, δεύτερον δὲ μεθ' ἑαυτὸν 5 Θεμιστοκλέα. Λακεδαιμόνιοι δὲ εἰς τὴν Σπάρτην αὐτὸν κατ- αγαγόντες, Εὐρυβιάδῃ μὲν ἀνδρείας, ἐκείνῳ δὲ σοφίας ἀριστεῖον ἔδοσαν, καὶ στέφανόν τε καὶ τῶν κατὰ τὴν πόλιν ἁρμάτων τὸ πρωτεῦον ἐδωρήσαντο, καὶ τριακοσίους τῶν νέων πομποὺς ἄχρι τῶν ὅρων συνεξέπεμψαν. λέγεται δέ, Ὀλυμπίων τῶν ἐφεξῆς 10 ἀγομένων, καὶ παρελθόντος εἰς τὸ στάδιον Θεμιστοκλέους, ἀμελήσαντας τῶν ἀγωνιστῶν τοὺς παρόντας ὅλην τὴν ἡμέραν ἐκεῖνον θεᾶσθαι καὶ τοῖς ξένοις ἐπιδεικνύναι.

PLUTARCH

26

Themistocles finds a brief resting-place on his flight

μετὰ δὲ τοῦτο οἱ Λακεδαιμόνιοι πρέσβεις ἔπεμψαν παρὰ τοὺς Ἀθηναίους αἰτήσοντας τὸν Θεμιστοκλέα δὴ κολάζειν. οἱ δὲ πεισθέντες πέμπουσιν ἄνδρας οἷς εἴρητο ἄγειν ὅπου ἂν περι- τύχωσιν. ὁ δὲ Θεμιστοκλῆς προαισθόμενος φεύγει ἐς Κέρκυραν·

5 φοβεῖσθαι δὲ λεγόντων Κερκυραίων ἔχειν αὐτὸν ὡς Λακεδαι-
μονίοις καὶ Ἀθηναίοις ἀπεχθόμενον, διακομίζεται ὑπ' αὐτῶν
ἐς τὴν ἤπειρον. καὶ διωκόμενος ἀναγκάζεται παρὰ Ἄδμητον τὸν
Μολοσσῶν βασιλέα ὄντα αὐτῷ οὐ φίλον καταλῦσαι. καὶ ὁ μὲν
οὐκ ἔτυχεν οἴκοι ὤν, ὁ δὲ τῆς γυναικὸς ἱκέτης γενόμενος διδά-
10 σκεται ὑπ' αὐτῆς τὸν παῖδα σφῶν λαβὼν καθέζεσθαι ἐπὶ τὴν
ἑστίαν. καὶ ἐλθόντος τοῦ Ἀδμήτου δηλοῖ τε ὅς ἐστι καὶ οὐκ
ἀξιοῖ φεύγοντα τιμωρεῖσθαι· ὁ δὲ Ἄδμητος τοῖς τε Λακεδαι-
μονίοις καὶ Ἀθηναίοις ὕστερον οὐ πολλῷ ἐλθοῦσι καὶ πολλὰ
εἰποῦσιν οὐκ ἐκδίδωσιν, ἀλλ' ἀποστέλλει βουλόμενον ὡς βασιλέα
15 πορευθῆναι.

THUCYDIDES

27

BOEOTIA was a district lying to the north of Attica and was domi-
nated by the city of Thebes, a long-standing enemy of Athens.
Plataea was a Boeotian town, but nevertheless remained loyal to
Athens during the Peloponnesian War. It was besieged by Sparta
from 429 to 427 B.C., and at the end of this long siege one half of
the garrison succeeded in breaking out and reached Athens safely;
the other half remained and surrendered to Sparta, with the results
recorded here.

27

A Spartan interpretation of a fair trial

ὑπὸ δὲ τοὺς αὐτοὺς χρόνους τοῦ θέρους τούτου καὶ οἱ Πλαταιῆς
οὐκέτι ἔχοντες σῖτον οὐδὲ δυνάμενοι πολιορκεῖσθαι ξυνέβησαν
τοῖς Πελοποννησίοις τοιῷδε τρόπῳ. προσέβαλλον οἱ Πελοπον-
νήσιοι τῷ τείχει, οἱ δὲ οὐκ ἐδύναντο ἀμύνεσθαι. γνοὺς δὲ ὁ
5 Λακεδαιμόνιος ἄρχων τὴν ἀσθένειαν αὐτῶν βίᾳ μὲν οὐκ ἐβούλετο
ἑλεῖν, προσπέμπει δὲ αὐτοῖς κήρυκα λέγοντα, εἰ βούλονται
παραδοῦναι τὴν πόλιν ἑκόντες τοῖς Λακεδαιμονίοις καὶ δικασταῖς

ἐκείνοις χρήσασθαι, τούς τε ἀδίκους κολάζειν, παρὰ δίκην
δὲ οὐδένα. τοσαῦτα μὲν ὁ κῆρυξ εἶπεν· οἱ δέ (ἦσαν γὰρ ἤδη ἐν
τῷ ἀσθενεστάτῳ) παρέδοσαν τὴν πόλιν. καὶ ἐπειδὴ οἱ ἐκ τῆς 10
Λακεδαίμονος δικασταὶ πέντε ἄνδρες ἀφίκοντο, κατηγορία μὲν
οὐδεμία προυτέθη. ἀλλὰ ἕνα ἕκαστον παραγαγόντες ἠρώτων εἴ
τι Λακεδαιμονίους καὶ τοὺς συμμάχους ἀγαθὸν ἐν τῷ πολέμῳ
δεδρακότες εἰσίν· καὶ ὁπότε μὴ φαῖεν, ἀπάγοντες ἀπέκτειναν
καὶ ἐξαίρετον ἐποιήσαντο οὐδένα. 15

THUCYDIDES

28

LATE in 423 B.C., when the Peloponnesian War had been continuing
for nearly ten years, Brasidas, the famous Spartan general, took the
Athenian city of Amphipolis. (Thucydides the historian was himself
a commander in the area, and as a result of his failure to stop Brasidas
was sent into exile.) Brasidas then went on to take the city of Torone,
on the isthmus of Sithonia; the small Athenian garrison fled to the
fort of Lecythus, and it is the capture of this which is described here.

28

Brasidas offers a prize, but the winner is unexpected

ὁ δὲ Βρασίδας, ὅτε ἔμελλε προσβαλεῖν τῇ Ληκύθῳ, οὗ ἔστιν
Ἀθηνᾶς ἱερόν, ἐκήρυξε δώσειν τριάκοντα μνᾶς ἀργυρίου τῷ
ἐπιβάντι πρώτῳ τοῦ τείχους· ἔπειτα δὲ τὴν προσβολὴν ἐποιεῖτο.
οἱ δὲ Ἀθηναῖοι ἔνδον ὄντες ἠμύνοντο ἐκ φαύλου τειχίσματος
καὶ ἀπ᾽ οἰκιῶν ἐπάλξεις ἐχουσῶν· καὶ ὅτε ἔμελλον οἱ πολέμιοι 5
μηχάνην προσάξειν ἀφ᾽ ἧς πῦρ ἐνήσειν διενοοῦντο ἐς τὰ ξύλινα
παραφράγματα, πύργον ξύλινον ἐπ᾽ οἴκημα ἀντέστησαν, καὶ
ὕδατος ἀμφορέας πολλοὺς ἀνεφόρησαν καὶ λίθους μεγάλους,
ἄνθρωποί τε πολλοὶ ἀνέβησαν. τὸ δὲ οἴκημα λαβὸν μεῖζον ἄχθος
ἐξαπίνης κατερράγη· καὶ ψόφου πολλοῦ γενομένου οἱ μὲν ἐγγὺς 10

ὄντες ἐλυποῦντο μᾶλλον ἢ ἐφοβοῦντο, οἱ δὲ ἄπωθεν, νομίσαντες
ἑαλωκέναι ἤδη τὸ χωρίον φυγῇ ἐς τὴν θάλασσαν καὶ τὰς ναῦς
ὥρμησαν. καὶ ὁ Βρασίδας ὡς ᾔσθετο αὐτοὺς φεύγοντας εὐθὺς
τὸ τείχισμα λαμβάνει. νομίσας δ' ἄλλῳ τινὶ τρόπῳ ἢ ἀνθρωπείῳ
15 ἑαλωκέναι, τὰς τριάκοντα μνᾶς τῇ θεῷ ἀπέδωκεν ἐς τὸ ἱερόν.

THUCYDIDES

29

THERAMENES was one of the leading statesmen in Athens in the
closing years of the Peloponnesian War. After the disastrous battle
of Aegospotami, in which the Athenian fleet had been destroyed,
Athens was besieged by Sparta by land and sea. After rejecting terms
for some months, mounting deaths from starvation forced her to
send Theramenes and nine others to Sparta to negotiate a peace in
404 B.C.

29

'In victory, magnanimity'

ἐπεὶ δὲ ὁ Θηραμένης καὶ οἱ ἄλλοι πρέσβεις ἧκον, ἐκκλησίαν ἐποίη-
σαν οἱ ἔφοροι, ἐν ᾗ ἀντέλεγον Κορίνθιοι καὶ Θηβαῖοι μάλιστα,
πολλοὶ δὲ καὶ ἄλλοι τῶν Ἑλλήνων, μὴ σπένδεσθαι Ἀθηναίοις ἀλλ'
ἐξαιρεῖν· Λακεδαιμόνιοι δὲ οὐκ ἔφασαν πόλιν Ἑλληνίδα ἀνδρα-
5 ποδιεῖν, μέγα ἀγαθὸν εἰργασμένην ἐν τοῖς μεγίστοις κινδύνοις
γενομένοις τῇ Ἑλλάδι, ἀλλ' ἐποιοῦντο εἰρήνην ἐφ' ᾧ τά τε
μακρὰ τείχη καὶ τὸν Πειραιᾶ καθελόντας, καὶ τὰς ναῦς πλὴν
δώδεκα παραδόντας, καὶ τοὺς φυγάδας καταγαγόντας τὸν
αὐτὸν ἐχθρὸν καὶ φίλον νομίζοντας Λακεδαιμονίοις ἕπεσθαι, καὶ
10 κατὰ γῆν καὶ κατὰ θάλατταν, ὅποι ἂν ἡγῶνται. Θηραμένης δὲ
καὶ οἱ σὺν αὐτῷ πρέσβεις ἐπανέφερον ταῦτα εἰς τὰς Ἀθήνας,
καὶ τῇ ὑστεραίᾳ ἀπήγγελλον ἐφ' οἷς οἱ Λακεδαιμόνιοι ποιοῖντο
τὴν εἰρήνην. ὁ δὲ Θηραμένης εἶπεν ὡς χρὴ πείθεσθαι τοῖς
Λακεδαιμονίοις, ἀντειπόντων δέ τινων αὐτῷ, πολὺ δὲ πλειόνων
15 συνεπαινεσάντων, ἔδοξε δέχεσθαι τὴν εἰρήνην.

XENOPHON

30–1

THE author of the next two pieces was Flavius Claudius Julianus, who became emperor of Rome after an uprising of the army in Paris in A.D. 360. He is better known as 'Julian the Apostate', because of his attempts to reverse the progress of Christianity, which he bitterly hated; his own strong religious feelings inclined to the old paganism of Rome, which he attempted to revive. Most of his writings are lost; the *Misopogon*, from which the first extract comes, was in fact a bitter reply to the people of Antioch who had mocked his 'philosopher's beard'; the second extract comes from some satirical sketches of former emperors.

30

Paris in the fourth century A.D.

ἐτύγχανον ἐγὼ χειμάζων περὶ τὴν φίλην Λουκετίαν· ὀνομάζουσι
δ' οὕτως οἱ Κελτοὶ τῶν Παρισίων τὴν πολίχνην· ἔστι δ' οὐ
μεγάλη νῆσος ἐγκειμένη τῷ ποταμῷ καὶ αὐτὴν κύκλῳ πᾶσαν
τεῖχος περιλαμβάνει, ξύλιναι δ' ἐπ' αὐτὴν ἀμφοτέρωθεν εἰσ-
άγουσι γέφυραι, καὶ ὀλιγάκις ὁ ποταμὸς ἐλαττοῦται καὶ μείζων 5
γίγνεται, τὰ πολλὰ δ' ἔστιν ὅμοιος καὶ θέρει καὶ χειμῶνι, ὕδωρ
ἥδιστον καὶ καθαρώτατον ὁρᾶν καὶ πίνειν ἐθέλοντι παρέχων.
ἅτε γὰρ νῆσον οἰκοῦντας ὑδρεύεσθαι μάλιστα ἐνθένδε χρή.
γίγνεται δὲ καὶ ὁ χειμὼν ἐκεῖ πραότερος ὑπὸ τῆς θέρμης τοῦ
ὠκεανοῦ· στάδια γὰρ ἀπέχει ἐννακοσίων οὐ πλείω.   10

JULIAN

31

Julius Caesar assesses his own achievement

ἤρξατο οὖν ὁ Καῖσαρ ὧδε· "'Ἐμοὶ μέν, ὦ Ζεῦ καὶ θεοί, γενέσθαι
ἐν τοσαύτῃ συνέβη πόλει μετὰ τοσούτους ἄνδρας, ὥστε πόλεως
μὲν ὅσης οὐ πώποτε ἄλλοι ἐβασίλευσαν βασιλεύειν, ταῖς δὲ
ἄλλαις πόλεσιν ἀγαπητὸν εἶναι τὰ δεύτερα κομίσασθαι. τίς γὰρ
πόλις ἀπὸ τρισχιλίων ἀνδρῶν ἀρξαμένη ἐν οὐδὲ ὅλοις ἔτεσιν 5

ἐξακοσίοις ἐπὶ γῆς ἦλθε πέρατα τοῖς ὅπλοις; ποῖα δὲ ἔθνη
τοσούτους ἄνδρας ἀγαθούς τε καὶ πολεμικοὺς παρέσχετο; θεοὺς
δὲ ἐτίμησαν οὕτω τίνες; ἐν δὴ τοσαύτῃ καὶ τηλικαύτῃ πόλει
γενόμενος οὐ τοὺς κατ' ἐμαυτὸν μόνον ἀλλὰ καὶ τοὺς πώποτε
10 παρῆλθον τοῖς ἔργοις. καὶ τῶν ἐμῶν μὲν πολιτῶν εὖ οἶδα ὡς
οὐδεὶς ἀντιποιήσεταί μοι τῶν πρωτείων· εἰ δὲ Ἀλέξανδρος οὗτος
τολμᾷ, τίνα τῶν ἔργων τῶν ἑαυτοῦ τοῖς ἐμοῖς ἀξιοῖ παραβαλεῖν;"

JULIAN

32-3

OF the many comedies written by the Athenian playwright Aristo-
phanes (c. 450–385 B.C.) only eleven survive. Extracts from two of
them, the *Birds* and the *Acharnians* follow.

The *Birds* was produced in 414 B.C., just after Athens had sent her
great expedition against Sicily; this was to end in complete disaster
for Athens, but at the moment all was going well. The *Birds* is an
elaborate 'extravaganza', in which an Athenian, Peithetaerus ('Per-
suasive Friend') has established a kingdom among the birds (Cloud-
cuckooland) in rivalry to the Olympian gods. Possibly Aristophanes
is satirizing the wild and ambitious schemes current in Athens at
this time, but equally well it may be wrong to look for any 'meaning'
in this lively and witty fantasy.

In the first passage here, Peithetaerus has already established his
kingdom, to the discomfort of the Olympians. The god Prometheus,
traditionally the friend of mankind, visits Peithetaerus in secret, telling
him how to deal with a deputation from Olympus, which is coming
to negotiate an agreement; in the second passage, Peithetaerus, while
preparing a meal, puts his demands to the deputation, which is led by
Poseidon.

32

ΠΕΙΘΕΤΑΙΡΟΣ ΠΡΟΜΗΘΕΥΣ

Πει. ὦ φίλε Προμηθεῦ.
Πρ.   παῦε παῦε, μὴ βόα.
Πει. τί γὰρ ἔστι;
Πρ.   σίγα, μὴ κάλει μου τοὔνομα.
ἀπὸ γάρ μ' ὀλεῖς, εἴ μ' ἐνθάδ' ὁ Ζεὺς ὄψεται.

ἀλλ᾽ ἵνα φράσω σοι πάντα τἄνω πράγματα,
τουτὶ λαβών μου τὸ σκιάδειον ὑπέρεχε   5
ἄνωθεν, ὡς ἂν μή μ᾽ ὁρῶσιν οἱ θεοί.
ἄκουε δή νυν.

Πει.   ὡς ἀκούοντος λέγε.

Πρ. ἥξουσι πρέσβεις δεῦρο περὶ διαλλαγῶν
παρὰ τοῦ Διὸς καὶ τῶν Τριβαλλῶν τῶν ἄνω·
ὑμεῖς δὲ μὴ σπένδεσθ᾽, ἐὰν μὴ παραδιδῷ   10
τὸ σκῆπτρον ὁ Ζεὺς τοῖσιν ὄρνισιν πάλιν,
καὶ τὴν Βασίλειάν σοι γυναῖκ᾽ ἔχειν διδῷ.

Πει. τίς ἐστιν ἡ Βασίλεια;

Πρ.   καλλίστη κόρη,
ἥπερ ταμιεύει τὸν κεραυνὸν τοῦ Διός,
ἤν γ᾽ ἦν σὺ παρ᾽ ἐκείνου παραλάβῃς, πάντ᾽ ἔχεις.   15

ARISTOPHANES

33

ΠΕΙΘΕΤΑΙΡΟΣ   ΠΟΣΕΙΔΩΝ

Πει. τί ἔστι;

Πο.   πρεσβεύοντες ἡμεῖς ἥκομεν
παρὰ τῶν θεῶν περὶ πολέμου καταλλαγῆς.

ἡμεῖς τε γὰρ πολεμοῦντες οὐ κερδαίνομεν,
ὑμεῖς τ᾽ ἂν ἡμῖν τοῖς θεοῖς ὄντες φίλοι
ὄμβριον ὕδωρ ἂν εἴχετ᾽ ἐν τοῖς τέλμασιν,   5
ἀλκυονίδας τ᾽ ἂν ἦγεθ᾽ ἡμέρας ἀεί.

Πει. ἀλλ᾽ οὔτε πρότερον πώποθ᾽ ἡμεῖς ἤρξαμεν
πολέμου πρὸς ὑμᾶς, νῦν τ᾽ ἐθέλομεν, εἰ δοκεῖ,
σπονδὰς ποιεῖσθαι. τὰ δὲ δίκαι᾽ ἐστὶν ταδί,
τὸ σκῆπτρον ἡμῖν τοῖσιν ὄρνισιν πάλιν   10
τὸν Δί᾽ ἀποδοῦναι· κἂν διαλλαττώμεθα
ἐπὶ τοῖσδε, τοὺς πρέσβεις ἐπ᾽ ἄριστον καλῶ.

ARISTOPHANES

34-9

THE *Acharnians* was written about ten years earlier than the *Birds*, when Aristophanes was in his twenties. In this play Aristophanes' main target is the Peloponnesian War, now in its seventh year; he felt strongly about the absurdity of this struggle between Greek and Greek.

The plot centres upon an Athenian, Dicaeopolis, who, tired of the war, has made a private peace with Sparta and so enjoys all the comforts of peace while the rest continue to suffer all the discomforts of war. His action arouses the fury of the Chorus, who are old men from Acharnae—an Attic town with a very proud military reputation. In the first two extracts the Acharnians attack Dicaeopolis and refuse to hear his case.

By the time of the third extract, the Archarnians have agreed to give him a hearing, as long as the executioner's block stands ready at hand. So Dicaeopolis prepares to dress up in rags so as to win the sympathy of his hearers; this was a common practice of those seeking to win over juries in the lawcourts at Athens. Here Aristophanes slips in the first of his many attacks upon Euripides the tragedian, who by his more 'down-to-earth' and 'realistic' treatment of the old epic legends had aroused the criticism of the traditionalists; in particular they seem to have objected to his dressing up his heroes in rags. (It is a point to remember that Aristophanes, though 'conservative' in his outlook, was some thirty years younger than Euripides.) Dicaeopolis naturally therefore decides to get his rags from Euripides. In the fourth extract he boldly prepares to face the Acharnians and the block.

In the last two extracts, Dicaeopolis makes a speech absolving the Spartans from the responsibility of starting the war; finally he brings up one of the important contributory causes of the war, Pericles' 'Megarian Decrees' of 433/432 B.C. Megara was a town near the Isthmus of Corinth and had for some time been a bone of contention between Athens and Corinth. By his decrees, Pericles attempted to starve it into surrender by excluding the Megarians from trade in all the harbours of Athens and the Athenian Empire. Dicaeopolis succeeds in dividing the Acharnians into two camps.

34

ΧΟΡΟΣ ΔΙΚΑΙΟΠΟΛΙΣ

Χο. οὗτος αὐτός ἐστιν, οὗτος.
βάλλε, βάλλε, βάλλε, βάλλε,
παῖε παῖε τὸν μιαρόν.
οὐ βαλεῖς; οὐ βαλεῖς;
Δι. ἀντὶ ποίας αἰτίας, ὦχαρνέων γεραίτατοι;   5
Χο. τοῦτ᾽ ἐρωτᾷς; ἀναίσχυντος εἶ καὶ βδελυρός,
ὦ προδότα τῆς πατρίδος, ὅστις ἡμῶν μόνος
σπεισάμενος εἶτα δύνασαι πρὸς ἔμ᾽ ἀποβλέπειν.
Δι. ἀντὶ δ᾽ ὧν ἐσπεισάμην οὐκ ἴστε· μάλλ᾽ ἀκούσατε.
Χο. σοῦ γ᾽ ἀκούσωμεν; ἀπολεῖ· κατά σε χώσομεν τοῖς λίθοις.   10
Δι. μηδαμῶς, πρὶν ἄν γ᾽ ἀκούσῃτ᾽. ἀλλ᾽ ἀνάσχεσθ᾽ ὦγαθοί.
Χο. οὐκ ἀνασχήσομαι· μηδὲ λέγε μοι σὺ λόγον.

ARISTOPHANES

35

ΧΟΡΟΣ ΔΙΚΑΙΟΠΟΛΙΣ

Χο. σοῦ δ᾽ ἐγὼ λόγους λέγοντος οὐκ ἀκούσομαι μακρούς,
ὅστις ἐσπείσω Λάκωσιν, ἀλλὰ τιμωρήσομαι.
Δι. ὦγαθοί, τοὺς μέν Λάκωνας ἐκποδὼν ἐάσατε,
τῶν δ᾽ ἐμῶν σπονδῶν ἀκούσατ᾽, εἰ καλῶς ἐσπεισάμην.
Χο. πῶς δέ γ᾽ ἂν καλῶς λέγοις ἄν, εἴπερ ἐσπείσω γ᾽ ἅπαξ   5
οἷσιν οὔτε βωμὸς οὔτε πίστις οὔθ᾽ ὅρκος μένει;
Δι. οἶδ᾽ ἐγὼ καὶ τοὺς Λάκωνας, οἷς ἄγαν ἐγκείμεθα,
οὐχ ἁπάντων ὄντας ἡμῖν αἰτίους τῶν πραγμάτων.
Χο. οὐχ ἁπάντων, ὦ πανοῦργε; ταῦτα δὴ τολμᾷς λέγειν
ἐμφανῶς ἤδη πρὸς ἡμᾶς; εἶτ᾽ ἐγὼ σοῦ φείσομαι;   10

ARISTOPHANES

36

ΔΙΚΑΙΟΠΟΛΙΣ ΚΗΦΙΣΟΦΩΝ

Δι.   ὥρα 'στὶν ἤδη καρτερὰν ψυχὴν λαβεῖν,
      καί μοι βαδιστέ' ἐστὶν ὡς Εὐριπίδην.
      παῖ παῖ.
Κη.   τίς οὗτος;
Δι.   ἔνδον ἔστ' Εὐριπίδης;
Κη.   οὐκ ἔνδον, ἔνδον ἐστίν, εἰ γνώμην ἔχεις.
5 Δι.   πῶς ἔνδον, εἶτ' οὐκ ἔνδον;
Κη.   ὀρθῶς, ὦ γέρον.
      ὁ νοῦς μὲν ἔξω ξυλλέγων ἐπύλλια
      οὐκ ἔνδον, αὐτὸς δ' ἔνδον ἀναβάδην ποιεῖ
      τραγῳδίαν.
Δι.   ὦ τρισμακάρι' Εὐριπίδη,
      ὅθ' ὁ δοῦλος οὑτωσὶ σοφῶς ἀπεκρίνατο.
10   ἐκκάλεσον αὐτόν.
Κη.   ἀλλ' ἀδύνατον·
Δι.   ἀλλ' ὅμως.
      οὐ γὰρ ἂν ἀπέλθοιμ', ἀλλὰ κόψω τὴν θύραν.

                                    ARISTOPHANES

37

ΔΙΚΑΙΟΠΟΛΙΣ ΕΥΡΙΠΙΔΗΣ ΧΟΡΟΣ

Δι.   Εὐριπίδη, Εὐριπίδιον.
      δός μοι ῥάκιόν τι τοῦ παλαιοῦ δράματος.
      δεῖ γάρ με λέξαι τῷ χορῷ ῥῆσιν μακράν·
      αὕτη δὲ θάνατον, ἢν κακῶς λέξω, φέρει.
5 Ευρ. φθείρου λαβὼν τόδ'· ἴσθ' ὀχληρὸς ὢν δόμοις.
Δι.   ἐπήνεσ'· ἄγε νυν, ὦ τάλαινα καρδία,
      ἄπελθ' ἐκεῖσε, κᾆτα τὴν κεφαλὴν ἐκεῖ
      παράσχες, εἰποῦσ' ἅττ' ἂν αὐτῇ σοι δοκῇ.

Χο. τί δράσεις; τί φήσεις; εὖ ἴσθι νυν
ἀναίσχυντος ὢν σιδηροῦς τ᾽ ἀνήρ,   10
ὅστις παρασχὼν τῇ πόλει τὸν αὐχένα
ἅπασι μέλλεις εἰς λέγειν τἀναντία.
ἀνὴρ οὐ τρέμει τὸ πρᾶγμ᾽· εἶά νυν,
ἐπειδήπερ αὐτὸς αἱρεῖ, λέγε.

ARISTOPHANES

38

ΔΙΚΑΙΟΠΟΛΙΣ

μή μοι φθονήσητ᾽, ἄνδρες οἱ θεώμενοι,
εἰ πτωχὸς ὢν ἔπειτ᾽ ἐν Ἀθηναίοις λέγειν
μέλλω περὶ τῆς πόλεως, τρυγῳδίαν ποιῶν.
τὸ γὰρ δίκαιον οἶδε καὶ τρυγῳδία.
ἐγὼ δὲ λέξω δεινὰ μέν, δίκαια δέ.   5
ἐγὼ δὲ μισῶ μὲν Λακεδαιμονίους σφόδρα,
καὐτοῖς ὁ Ποσειδῶν, οὑπὶ Ταινάρῳ θεός,
σείσας ἅπασιν ἐμβάλοι τὰς οἰκίας·
κἀμοὶ γάρ ἐστ᾽ ἀμπέλια διακεκομμένα.
ἀτάρ, φίλοι γὰρ οἱ παρόντες ἐν λόγῳ,   10
τί ταῦτα τοὺς Λάκωνας αἰτιώμεθα;

ARISTOPHANES

39

ΔΙΚΑΙΟΠΟΛΙΣ ΧΟΡΟΣ

Δι. ἐτίθει νόμους γὰρ Περικλέης οὐλύμπιος
ὡς χρὴ Μεγαρέας μήτε γῇ μήτ᾽ ἐν ἀγορᾷ
μήτ᾽ ἐν θαλάττῃ μήτ᾽ ἐν οὐρανῷ μένειν.
κἀντεῦθεν ἤδη πάταγος ἦν τῶν ἀσπίδων.
ἐρεῖ τις, οὐ χρῆν· ἀλλὰ τί ἐχρῆν, εἴπατε.   5

κάθησθ' ἂν ὑμεῖς ἥσυχοι; πολλοῦ γε δεῖ·
καὶ κάρτα μέντἂν εὐθέως καθείλκετε
τριακοσίας ναῦς, ἦν δ' ἂν ἡ πόλις πλέα
θορύβου στρατιωτῶν, περὶ τριηράρχου βοῆς.
10   ἑδρᾶτ' ἂν οὕτως· νοῦς ἄρ' ἡμῖν οὐκ ἔνι.

Χορ. Α. ταυτὶ σὺ τολμᾷς πτωχὸς ὢν ἡμᾶς λέγειν;
Χορ. Β. νὴ τὸν Ποσειδῶ καὶ λέγει γ' ἅπερ λέγει
δίκαια πάντα κοὐδὲν αὐτῶν ψεύδεται.

ARISTOPHANES

40–4

THESE extracts are taken from Euripides' play *Andromache*, perhaps produced between 430 and 424 B.C. The following 'family tree' may be helpful in sorting out the relationships of the characters involved:

Peleus = Thetis
|
Achilles = Deidameia
|
Neoptolemos = (1) Andromache
(2) Hermione

The action takes place ten years after the end of the Trojan War. Andromache, formerly the wife of Hector, the Trojan leader, is in captivity as the wife of Neoptolemus, Achilles' son; she had borne him a son. Just before the play opens, Neoptolemus had taken another wife, Hermione, the daughter of Menelaus, but she had *not* so far produced a child. Bitterly jealous of Andromache, Hermione accuses her of making her barren by secret spells. When Neoptolemus is away on a visit to Delphi, she and Menelaus plan to kill Andromache. Andromache hides her son and seeks sanctuary at the altar of Thetis and there she waits for Peleus, her husband's grandfather, to come and save her.

In the first extract, one of Andromache's loyal maidservants warns her that Menelaus is plotting against her child. In the second extract, which follows straight on, Andromache is told that the hiding-place of her child has been discovered.

In the third extract, Menelaus enters with the child and threatens to kill it unless Andromache leaves the sacred ground of the shrine and is herself killed. In the fourth extract, Andromache decides to leave the altar for her son's sake. In the final extract Menelaus orders Andromache to be seized and removed. The remainder of the story is very complex. Neoptolemus is murdered at Delphi and the situation is resolved by the intervention of the goddess Thetis, who arranges for the marriage of Andromache to Helenus, one of Priam's surviving sons, and prophesies a happy future for her son.

40

ΘΕΡΑΠΑΙΝΑ   ΑΝΔΡΟΜΑΧΗ

Θε. δέσποιν',—ἐγώ τοι τοὖνομ' οὐ φεύγω τόδε
καλεῖν σ', ἐπείπερ καὶ κατ' οἶκον ἠξίουν
τὸν σόν, τὸ Τροίας ἡνίκ' ᾠκοῦμεν πέδον,
εὔνους δὲ καὶ σοὶ ζῶντί τ' ἦ τῷ σῷ πόσει·
καὶ νῦν φέρουσά σοι νέους ἥκω λόγους,   5
φόβῳ μέν, εἴ τις δεσποτῶν αἰσθήσεται,
οἴκτῳ δὲ τῷ σῷ· δεινὰ γὰρ βουλεύεται
Μενέλαος εἰς σὲ παῖς θ', ἅ σοι φυλακτέα.
Αν. ὦ φιλάτη σύνδουλε—σύνδουλος γὰρ εἶ
τῇ πρόσθ' ἀνάσσῃ τῇδε, νῦν δὲ δυστυχεῖ—   10
τί δρῶσι; ποίας μηχανὰς πλέκουσιν αὖ,
κτεῖναι θέλοντες τὴν παναθλίαν ἐμέ;

EURIPIDES

41

ΘΕΡΑΠΑΙΝΑ   ΑΝΔΡΟΜΑΧΗ

Θε. τὸν παῖδά σου μέλλουσιν, ὦ δύστηνε σύ,
κτείνειν ὃν ἔξω δωμάτων ὑπεξέθου.
Αν. οἴμοι· πέπυσται τὸν ἐμὸν ἔκθετον γόνον;
πόθεν ποτ'; ὦ δύστηνος, ὡς ἀπωλόμην.

Θε. οὐκ οἶδ᾽, ἐκείνων δ᾽ ᾐσθόμην ἐγὼ τάδε·
φροῦδος δ᾽ ἐπ᾽ αὐτὸν Μενέλεως δόμων ἄπο.
Αν. ἀπωλόμην ἄρ᾽. ὦ τέκνον, κτενοῦσί σε
δισσοὶ λαβόντες γῦπες. ὁ δὲ κεκλημένος
πατὴρ ἔτ᾽ ἐν Δελφοῖσι τυγχάνει μένων.
Θε. δοκῶ γὰρ οὐκ ἂν ὧδέ σ᾽ ἂν πράσσειν κακῶς
κείνου παρόντος· νῦν δ᾽ ἔρημος εἶ φίλων.

EURIPIDES

42

ΜΕΝΕΛΑΟΣ

ἥκω λαβὼν σὸν παῖδ᾽, ὃν εἰς ἄλλους δόμους
λάθρᾳ θυγατρὸς τῆς ἐμῆς ὑπεξέθου.
σὲ μὲν γὰρ ηὔχεις θεᾶς βρέτας σώσειν τόδε,
τοῦτον δὲ τοὺς κρύψαντας· ἀλλ᾽ ἐφηυρέθης
ἧσσον φρονοῦσα τοῦδε Μενέλεω, γύναι.
κεἰ μὴ τόδ᾽ ἐκλιποῦσ᾽ ἐρημώσεις πέδον,
ὅδ᾽ ἀντὶ τοῦ σοῦ σώματος σφαγήσεται.
ταῦτ᾽ οὖν λογίζου, πότερα κατθανεῖν θέλεις
ἢ τόνδ᾽ ὀλέσθαι σῆς ἁμαρτίας ὕπερ,
ἢν εἰς ἔμ᾽ εἴς τε παῖδ᾽ ἐμὴν ἁμαρτάνεις.
ὡς, ἢν θάνῃς σύ, παῖς ὅδ᾽ ἐκφεύγει μόρον,
σοῦ δ᾽ οὐ θελούσης κατθανεῖν, τόνδε κτενῶ
δυοῖν δ᾽ ἀνάγκη θατέρῳ λιπεῖν βίον.

EURIPIDES

43

ΑΝΔΡΟΜΑΧΗ

ὦ μεγάλα πράσσων αἰτίας μικρᾶς πέρι,
πιθοῦ· τί καίνεις μ᾽; ἀντὶ τοῦ; ποίαν πόλιν
προύδωκα; τίνα σῶν ἔκτανον παίδων ἐγώ;

οἴμοι κακῶν τῶνδ᾽, ὦ τάλαιν᾽ ἐμὴ πατρίς,
ὡς δεινὰ πάσχω· τί δέ με καὶ τεκεῖν ἐχρῆν   5
ἄχθος τ᾽ ἐπ᾽ ἄχθει τῷδε προσθέσθαι διπλοῦν;
τί δῆτ᾽ ἐμοὶ ζῆν ἡδύ; πρὸς τί χρὴ βλέπειν;
πρὸς τὰς παρούσας ἢ παρελθούσας τύχας;
εἰς παῖς ὅδ᾽ ἦν μοι λοιπὸς ὀφθαλμὸς βίου·
τοῦτον κτενεῖν μέλλουσιν οἷς δόκει τάδε.   10
οὐ δῆτα τοὐμοῦ γ᾽ εἵνεκ᾽ ἀθλίου βίου·
ἐν τῷδε μὲν γὰρ ἐλπίς, εἰ σωθήσεται,
ἐμοὶ δ᾽ ὄνειδος μὴ θανεῖν ὑπὲρ τέκνου.

EURIPIDES

44

ΜΕΝΕΛΑΟΣ ΑΝΔΡΟΜΑΧΗ

Με. λάβεσθέ μοι τῆσδ᾽, ἀμφελίξαντες χέρας,
      δμῶες· λόγους γὰρ οὐ φίλους ἀκούσεται.
      ἐγώ σ᾽, ἵν᾽ ἅγνον βωμὸν ἐκλίποις θεᾶς,
      προύτεινα παιδὸς θάνατον, ᾧ σ᾽ ὑπήγαγον
      εἰς χεῖρας ἐλθεῖν τὰς ἐμὰς ἐπὶ σφαγήν.   5
      καὶ τἀμφὶ σοῦ μὲν ὧδ᾽ ἔχοντ᾽ ἐπίστασο.
      τὰ δ᾽ ἀμφὶ παιδὸς τοῦδε παῖς ἐμὴ κρινεῖ,
      ἤν τε κτανεῖν νιν ἤν τε μὴ κτανεῖν θέλῃ.
      ἀλλ᾽ ἕρπ᾽ ἐς οἴκους τούσδ᾽, ἵν᾽ εἰς ἐλευθέρους
      δούλη γεγῶσα μήποθ᾽ ὑβρίζειν μάθῃς.   10
Αν. οἴμοι. δόλῳ μ᾽ ὑπῆλθες, ἠπατήμεθα.
Με. κήρυσσ᾽ ἅπασιν· οὐ γὰρ ἐξαρνούμεθα.

EURIPIDES

45–9

THESE extracts are taken from Euripides' play *Electra*, which was
produced in 413 B.C.

  When Agamemnon returned from the Trojan War, he was mur-
dered by his wife Clytemnestra. She and her lover Aegisthus also

tried to murder her son Orestes, but an old man (Agamemnon's *paidagogos* or tutor) succeeded in getting him away to another country, Phocis. The daughter, Electra, remained behind, unharmed for the moment, but when she grew older she was married off to a poor farmer in the hope that in the obscurity and poverty of her position neither she nor her children would be a source of danger.

Electra's husband does not take advantage of his position and continues to treat his wife as a member of the royal household. In the first extract, Electra praises her husband's goodness, but persuades him to let her help him in running his home. She goes off to draw water.

In the second extract, Orestes, accompanied by his friend Pylades, the son of the king of Phocis, surprises Electra at the well; he talks to her but keeps his identity secret.

In the third extract, he succeeds in finding where Electra's loyalty lies. In the fourth extract, Electra's husband invites the strangers into his cottage. In the last extract, the old *paidagogos* reveals to Electra the true identity of Orestes.

At the end of the play Clytemnestra is enticed to the cottage where she is murdered by Orestes and Electra.

45

ΗΛΕΚΤΡΑ ΑΥΤΟΥΡΓΟΣ

Ηλ. ἐγώ σ᾽ ἴσον θεοῖσιν ἡγοῦμαι φίλον·
ἐν τοῖς ἐμοῖς γὰρ οὐκ ἐνύβρισας κακοῖς.
μεγάλη δὲ θνητοῖς μοῖρα συμφορᾶς κακῆς
ἰατρὸν εὑρεῖν, ὡς ἐγὼ σὲ λαμβάνω.
5 δεῖ δή με κἀκέλευστον εἰς ὅσον σθένω
μόχθου 'πικουφίζουσαν, ὡς ῥᾷον φέρῃς,
συνεκκομίζειν σοι πόνους· ἅλις δ᾽ ἔχεις
τἄξωθεν ἔργα· τὰν δόμοις δ᾽ ἡμᾶς χρεὼν
ἐξευτρεπίζειν. εἰσιόντι δ᾽ ἐργάτῃ
10 θύραθεν ἡδὺ τἄνδον εὑρίσκειν καλῶς.
Αυ. εἴ τοι δοκεῖ σοι, στεῖχε· καὶ γὰρ οὐ πρόσω
πηγαὶ μελάθρων τῶνδ᾽. ἐγὼ δ᾽ ἅμ᾽ ἡμέρᾳ

βοῦς εἰς ἀρούρας εἰσβαλὼν σπερῶ γύας.
(ἀργὸς γὰρ οὐδείς, θεοὺς ἔχων ἀνὰ στόμα,
βίον δύναιτ' ἂν ξυλλέγειν ἄνευ πόνου.)   15

EURIPIDES

46

ΟΡΕΣΤΗΣ ΗΛΕΚΤΡΑ

Ορ. μέν', ὦ τάλαινα· μὴ τρέσῃς ἐμὴν χέρα.
Ηλ. ὦ Φοῖβ' Ἄπολλον, προσπίτνω σε μὴ θανεῖν.
Ορ. ἄλλους κτάνοιμι μᾶλλον ἐχθίους σέθεν.
Ηλ. ἄπελθε, μὴ ψαῦ' ὧν σε μὴ ψαύειν χρεών·
Ορ. οὐκ ἔσθ' ὅτου θίγοιμ' ἂν ἐνδικώτερον.   5
Ηλ. καὶ πῶς ξιφήρης πρὸς δόμοις λοχᾷς ἐμοῖς;
Ορ. μείνασ' ἄκουσον, καὶ τάχ' οὐκ ἄλλως ἐρεῖς.
Ηλ. ἕστηκα· πάντως δ' εἰμὶ σή· κρείσσων γὰρ εἶ.
Ορ. ἥκω φέρων σοι σοῦ κασιγνήτου λόγους.
Ηλ. ὦ φίλτατ', ἆρα ζῶντος ἢ τεθνηκότος;   10
Ορ. ζῇ· πρῶτα γάρ σοι τἀγάθ' ἀγγέλλειν θέλω.
Ηλ. εὐδαιμονοίης, μισθὸν ἡδίστων λόγων.

EURIPIDES

47

ΟΡΕΣΤΗΣ ΗΛΕΚΤΡΑ

Ορ. τί δῆτ' Ὀρέστης πρὸς τάδ', Ἄργος ἢν μόλῃ;
Ηλ. ἤρου τόδ'; αἰσχρόν γ' εἶπας· οὐ γὰρ νῦν ἀκμή;
Ορ. ἐλθὼν δὲ δὴ πῶς φονέας ἂν κτάνοι πατρός;
Ηλ. τολμῶν ὑπ' ἐχθρῶν οἷ' ἐτολμήθη πατήρ.
Ορ. ἦ καὶ μετ' αὐτοῦ μητέρ' ἂν τλαίης κτανεῖν;   5
Ηλ. ταὐτῷ γε πελέκει τῷ πατὴρ ἀπώλετο.

Ορ. λέγω τάδ' αὐτῷ, καὶ βέβαια τἀπὸ σοῦ;
Ηλ. θάνοιμι μητρὸς αἷμ' ἐπισφάξασ' ἐμῆς.
Ορ. φεῦ·
εἴθ' ἦν 'Ορέστης πλησίον κλύων τάδε.
10 Ηλ. ἀλλ', ὦ ξέν', οὐ γνοίην ἂν εἰσιδοῦσά νιν.
Ορ. νέα γάρ, οὐδὲν θαῦμ', ἀπεζεύχθης νέου.
Ηλ. εἷς ἂν μόνος νιν τῶν ἐμῶν γνοίη φίλων.
Ορ. ἆρ' ὃν λέγουσιν αὐτὸν ἐκκλέψαι φόνου;
Ηλ. πατρός γε παιδαγωγὸς ἀρχαῖος γέρων.

EURIPIDES

48

ΑΥΤΟΥΡΓΟΣ ΗΛΕΚΤΡΑ

Αυ. ἔα· τίνας τούσδ' ἐν πύλαις ὁρῶ ξένους;
τίνος δ' ἕκατι τάσδ' ἐπ' ἀγραύλους πύλας
προσῆλθον; ἢ 'μοῦ δεόμενοι; γυναικί τοι
αἰσχρὸν μετ' ἀνδρῶν ἑστάναι νεανιῶν.
5 Ηλ. ὦ φίλτατ', εἰς ὕποπτα μὴ μόλῃς ἐμοί.
τὸν ὄντα δ' εἴσει μῦθον· οἵδε γὰρ ξένοι
ἥκουσ' 'Ορέστου πρός με κήρυκες λόγων.
ἀλλ', ὦ ξένοι, σύγγνωτε τοῖς εἰρημένοις.
Αυ. ἦλθον δ' 'Ορέστου τίν' ἀγορεύοντες λόγον;
10 Ηλ. σκοποὺς ἔπεμψε τούσδε τῶν ἐμῶν κακῶν.
Αυ. οὐκοῦν πάλαι χρῆν τοῖσδ' ἀνεπτύχθαι πύλας;
χωρεῖτ' ἐς οἴκους· ἀντὶ γὰρ χρηστῶν λόγων
ξενίων κυρήσεθ', οἷ' ἐμὸς κεύθει δόμος.
καὶ μηδὲν ἀντείπητε, παρὰ φίλου φίλοι
15 μολόντες ἀνδρός· καὶ γὰρ εἰ πένης ἔφυν,
οὔτοι τό γ' ἦθος δυσγενὲς παρέξομαι.

EURIPIDES

49

ΟΡΕΣΤΗΣ ΠΡΕΣΒΕΥΣ ΗΛΕΚΤΡΑ

Ορ. ἔα·
   τί μ' εἰσδέδορκεν ὥσπερ ἀργύρου σκοπῶν
   λαμπρὸν χαρακτῆρ'; ἢ προσεικάζει μέ τῳ;
Πρ. ὦ πότνι', εὔχου, θύγατερ 'Ηλέκτρα, θεοῖς
   λαβεῖν φίλον θησαυρόν, ὃν φαίνει θεός.
Ηλ. ἰδού, καλῶ θεούς. ἦ τί δὴ λέγεις, γέρον;   5
Πρ. βλέψον νυν ἐς τόνδ', ὦ τέκνον, τὸν φίλτατον.
Ηλ. πάλαι δέδοικα, μὴ σύ γ' οὐκέτ' εὖ φρονῇς.
Πρ. οὐκ εὖ φρονῶ 'γὼ σὸν κασίγνητον βλέπων;
Ηλ. πῶς εἶπας, ὦ γεραί', ἀνέλπιστον λόγον;
Πρ. ὁρᾶν 'Ορέστην τόνδε τὸν 'Αγαμέμνονος.   10
Ηλ. ποῖον χαρακτῆρ' εἰσιδών, ᾧ πείσομαι;
Πρ. οὐλὴν παρ' ὀφρύν, ἥν ποτ' ἐν πατρὸς δόμοις
   νεβρὸν διώκων σοῦ μέθ' ᾑμάχθη πεσών.
Ηλ. πῶς φῄς; ὁρῶ μὲν πτώματος τεκμήριον.
Πρ. ἔπειτα μέλλεις προσπίτνειν τοῖς φιλτάτοις;   15
Ηλ. ἀλλ' οὐκέτ', ὦ γεραιέ· συμβόλοισι γὰρ
   τοῖς σοῖς πέπεισμαι θυμόν· ὦ χρόνῳ φανείς,
   ἔχω σ' ἀέλπτως.

EURIPIDES

SECTION II

50–3

The following sequence of excerpts comes from a speech by probably the greatest Greek orator, Demosthenes (384–322 B.C.). Apart from the large number of speeches which he wrote in the course of his long and distinguished career as a leading politician, we have a considerable body of the so-called 'Private Orations', delivered or written for others involved in personal litigation. It is generally agreed that one of the finest of these is the speech against Conon, from which the following passages are drawn. The plaintiff, Ariston, had suffered a series of irritations from Conon and his family, culminating in a severe case of assault and battery, which is the subject of the present case. The speech details the previous behaviour of the defendant's family, the events of the day in question, and the injuries he received.

50

Conon and his family behaved outrageously on military service, and were unrepentant when reprimanded

ἐξῆλθον εἰς Πάνακτον, φρουρᾶς ἡμῖν κελευσθείσης. ἐσκήνωσαν οὖν οἱ υἱεῖς οἱ Κόνωνος τουτουὶ ἐγγὺς ἡμῶν, ὡς οὐκ ἂν ἐβουλόμην· ἡ γὰρ ἐξ ἀρχῆς ἔχθρα ἐκεῖθεν ἡμῖν συνέβη, ἐξ ὧν δ', ἀκούσεσθε. ἔπινον ἑκάστοθ' οὗτοι ὅλην τὴν ἡμέραν ἐπειδὴ τάχιστ' ἀριστήσειαν, καὶ ἕως περ ἦμεν ἐν τῇ φρουρᾷ, τοῦτο διετέλουν ποιοῦντες. ἡμεῖς 5 δ' ὥσπερ ἐνθάδ' εἰώθειμεν, οὕτω διήγομεν καὶ ἔξω. ὁρῶντες δ' ἡμεῖς αὐτοὺς καὶ λυπούμενοι, τὸ μὲν πρῶτον ἐμεμψάμεθα, ὡς δ' οὐκ ἐπαύσαντο, τῷ στρατηγῷ τὸ πρᾶγμα εἴπομεν κοινῇ πάντες οἱ σύσσιτοι προσελθόντες, οὐκ ἐγὼ μόνος. λοιδορηθέντος δ' αὐτοῖς ἐκείνου οὐ μόνον περὶ ὧν εἰς ἡμᾶς ὕβριζον, ἀλλὰ καὶ 10 περὶ ὧν ὅλως ἐποίουν ἐν τῷ στρατοπέδῳ, τοσούτου ἐδέησαν

παύσασθαι ἢ αἰσχυνθῆναι ὥστ' εὐθὺς ὡς ἡμᾶς εἰσεπήδησαν ταύτῃ
τῇ ἑσπέρᾳ, καὶ τὸ μὲν πρῶτον κακῶς ἔλεγον, ἔπειτα δὲ καὶ
πληγὰς ἐνέτειναν ἐμοί.

DEMOSTHENES

51

The actual assault on which the case is based

καὶ ἡμῖν συνέβαινε τούτοις ἐντυγχάνειν. ὡς δ' ἀνεμίχθημεν,
εἷς μὲν αὐτῶν, ἀγνώς τις, τῷ Φανοστράτῳ προσπίπτει καὶ
κατεῖχεν ἐκεῖνον, Κόνων δ' οὑτοσὶ καὶ ὁ υἱὸς αὐτοῦ καὶ ὁ
Ἀνδρομένους υἱὸς ἐμοὶ προσπεσόντες, τὸ μὲν πρῶτον ἐξέδυσαν,
5 εἶτα ῥάξαντες εἰς τὸν βόρβορον, οὕτω διέθηκαν παίοντες ὥστε
τὸ μὲν χεῖλος διακόψαι τοὺς δ' ὀφθαλμοὺς συγκλεῖσαι· οὕτω δὲ
κακῶς ἔχοντα κατέλιπον ὥστε μήτ' ἀναστῆναι μήτε φθέγξασθαι
δύνασθαι. κείμενος δ' αὐτῶν ἤκουον πολλὰ καὶ δεινὰ λεγόντων.
καὶ τὰ μὲν ἄλλα βλασφημίαν ἔχει τινά, ὃ δὲ τῆς ὕβρεώς ἐστι
10 τῆς τούτου σημεῖον καὶ τεκμήριον τοῦ πᾶν τὸ πρᾶγμ' ὑπὸ τούτου
γεγενῆσθαι, τοῦθ' ὑμῖν ἐρῶ· ᾖδε γὰρ τοὺς ἀλεκτρυόνας μιμούμενος
τοὺς νενικηκότας. καὶ μετὰ ταῦτ' ἐγὼ μὲν ἀπεκομίσθην γυμνός,
ὡς δ' ἐπὶ τὴν θύραν ἦλθον, κραυγὴ καὶ βοὴ τῆς μητρὸς ἦν καὶ
μόγις εἰς βαλανεῖον ἐνεγκόντες με καὶ περιπλύναντες ἔδειξαν
15 τοῖς ἰατροῖς.

DEMOSTHENES

52

Medical details, and witnesses to prove
the facts

τότε μὲν τοίνυν παραχρῆμ' ὑπὸ τῶν πληγῶν ἃς ἔλαβον καὶ τῆς
ὕβρεως οὕτω διετέθην ὡς ἀκούετε καὶ μεμαρτύρηται παρὰ
πάντων ὑμῖν τῶν εὐθὺς ἰδόντων. μετὰ ταῦτα δὲ τῶν μὲν οἰδη-
μάτων τῶν ἐν τῷ προσώπῳ καὶ τῶν ἑλκῶν οὐδὲν ἔφη φοβεῖσθαι

λίαν ὁ ἰατρός, πυρετοὶ δὲ παρηκολούθουν μοι συνεχεῖς καὶ 5
ἀλγήματα ὅλου μὲν τοῦ σώματος πάνυ σφοδρὰ καὶ δεινά, μάλιστα
δὲ τῶν πλευρῶν. καὶ ὡς μὲν ὁ ἰατρὸς ἔφη, εἰ μὴ κάθαρσις αἵματος
αὐτομάτη μοι πάνυ πολλὴ συνέβη, καὶ ἂν διεφθάρην· νῦν δὲ
τοῦτ᾽ ἔσωσε τὸ αἷμ᾽ ἀποχωρῆσαν.

ὡς οὖν καὶ ταῦτ᾽ ἀληθῆ λέγω, καὶ παρηκολούθησέ μοι τοιαύτη 10
νόσος ἐξ ἧς εἰς τοὔσχατον ἦλθον, ἐξ ὧν ὑπὸ τούτων ἔλαβον πληγῶν,
λέγε τὴν τοῦ ἰατροῦ μαρτυρίαν καὶ τὴν τῶν ἐπισκοπούντων.

(ΜΑΡΤΥΡΙΑΙ)

ὅτι μὲν τοίνυν οὐ μετρίας τινὰς καὶ φαύλας λαβὼν πληγάς,
ἀλλ᾽ εἰς πᾶν ἐλθὼν διὰ τὴν ὕβριν τὴν τούτων, πολὺ τῆς προσ- 15
ηκούσης ἐλάττω δίκην εἴληχα, πολλαχόθεν νομίζω δῆλον ὑμῖν
γεγενῆσθαι.

DEMOSTHENES

53

Conclusion and final appeal to the jury

ταῦτ᾽ ἐγὼ καὶ τότ᾽ ἠθέλησα ὀμόσαι, καὶ νῦν ὀμνύω τοὺς θεοὺς
καὶ τὰς θεὰς ἅπαντας καὶ ἁπάσας ὑμῶν εἵνεκ᾽, ὦ ἄνδρες δικασταί,
καὶ τῶν περιεστηκότων, ἦ μὴν παθὼν ὑπὸ Κόνωνος ταῦθ᾽ ὧν
δικάζομαι, καὶ λαβὼν πληγάς, καὶ τὸ χεῖλος διακοπείς, καὶ ὑβρι-
σθεὶς τὴν δίκην διώκειν. καὶ εἰ μὲν εὐορκῶ, πολλά μοι γένοιτο 5
κἀγαθὰ καὶ μηδέποτ᾽ αὖθις τοιοῦτο μηδὲν πάθοιμι, εἰ δ᾽ ἐπιορκῶ,
παντάπασιν ἀπολοίμην αὐτὸς καὶ εἴ τί μοι ἔστιν ἢ μέλλει ἔσεσθαι.
ἀλλ᾽ οὐκ ἐπιορκῶ, οὐδ᾽ ἂν Κόνων διαρραγῇ. ἄξιον τοίνυν ὑμᾶς,
ὦ ἄνδρες δικασταί, πάνθ᾽ ὅσ᾽ ἐστὶ δίκαι᾽ ἐπιδείξαντος ἐμοῦ καὶ
πίστιν προσθέντος ὑμῖν, ὥσπερ ἂν αὐτὸς ἕκαστος παθὼν τὸν 10
πεποιηκότ᾽ ἐμίσει, οὕτως ὑπὲρ ἐμοῦ πρὸς Κόνωνα τουτονὶ τὴν
ὀργὴν ἔχειν.

οὐκ οἶδ᾽ ὅ τι δεῖ πλείω λέγειν· οἶμαι γὰρ ὑμᾶς οὐδὲν ἀγνοεῖν
τῶν εἰρημένων.

DEMOSTHENES

54

THE introduction to Section I, § 16 refers to the struggle of the Spartans, under the command of Dercylidas, against the Persians at the beginning of the fourth century B.C. The events in the next passages took place four years later, in 395 B.C., when the Spartan commander was Agesilaus, who reached Asia in the autumn and began devastating the territory of Pharnabazus, the satrap of Dascyleum.

54

Pharnabazus takes advantage of the over-confidence of Agesilaus' troops

καὶ εὐθὺς ὁ Ἀγησίλαος ἐπὶ Δασκυλείου ἀπεπορεύετο, ἔνθα καὶ τὰ βασίλεια ἦν Φαρναβάζῳ, καὶ κῶμαι περὶ αὐτὰ πολλαὶ μεγάλαι καὶ ἄφθονα ἔχουσαι τὰ ἐπιτήδεια, καὶ θῆραι πάγκαλαι. παρέρρει δὲ καὶ ποταμὸς παντοδαπῶν ἰχθύων πλήρης. ἐνταῦθα μὲν δὴ
5 διεχείμαζε τὰ ἐπιτήδεια τῇ στρατιᾷ λαμβάνων. καταφρονητικῶς δέ ποτε καὶ ἀφυλάκτως λαμβανόντων τῶν στρατιωτῶν τὰ ἐπιτήδεια, ἐπέτυχεν αὐτοῖς ὁ Φαρνάβαζος κατὰ τὸ πεδίον ἐσπαρμένοις, ἅρματα μὲν ἔχων δύο δρεπανηφόρα, ἱππέας δὲ ὡς τετρακοσίους. οἱ δ᾽ Ἕλληνες ὡς εἶδον αὐτὸν προσελαύνοντα,
10 συνέδραμον ὡς ἑπτακόσιοι· ὁ δ᾽ οὐκ ἐμέλλησεν, ἀλλὰ προστησάμενος τὰ ἅρματα, αὐτὸς δὲ σὺν τοῖς ἱππεῦσιν ὄπισθεν γενόμενος, ἐλαύνειν εἰς αὐτοὺς ἐκέλευσεν. ὡς δὲ τὰ ἅρματα ἐμβαλόντα διεσκέδασε τοὺς Ἕλληνας ἅπαντας, ταχὺ οἱ ἱππεῖς κατέβαλον ὡς εἰς ἑκατὸν ἀνθρώπους, οἱ δ᾽ ἄλλοι κατέφυγον πρὸς Ἀγησίλαον·
15 ἐγγὺς γὰρ ἔτυχε σὺν τοῖς ὁπλίταις ὤν.

XENOPHON

55

AT the beginning of his campaign, Agesilaus was greatly assisted by Spithridates, a Persian officer of some influence, who had defected to the Spartans. Spithridates had negotiated for Agesilaus an alliance with the king of Paphlagonia (northern Turkey), who had supplied Agesilaus with one thousand horsemen and two thousand peltasts. Herippidas was one of the Spartan commanders.

55

Herippidas does Agesilaus a bad turn

ἐκ δὲ τούτου τρίτῃ ἢ τετάρτῃ ἡμέρᾳ αἰσθάνεται ὁ Σπιθριδάτης
τὸν Φαρνάβαζον ἐν Καυῇ κώμῃ μεγάλῃ στρατοπεδευόμενον,
ἀπέχοντα στάδια ὡς ἑξήκοντα καὶ ἑκατόν. καὶ ὁ Ἡριππίδας,
ἐπιθυμῶν λαμπρόν τι ἐργάσασθαι, αἰτεῖ τὸν Ἀγησίλαον ὁπλίτας
τε εἰς δισχιλίους καὶ πελταστὰς ἄλλους τοσούτους καὶ ἱππέας 5
τούς τε Σπιθριδάτου καὶ τοὺς Παφλαγόνας καὶ τῶν Ἑλλήνων
ὁπόσους πείσειεν· ἐπεὶ δὲ ὑπέσχετο ὁ Ἀγησίλαος, παρήγγειλε
παρεῖναι δειπνήσαντας πρόσθεν τοῦ στρατοπέδου· σκότου δὲ
γενομένου, οὐδ᾽ οἱ ἡμίσεις ἑκάστων ἐξῆλθον· ὅμως δὲ ἐπορεύετο
σὺν ᾗ εἶχε δυνάμει. ἅμα δὲ τῇ ἡμέρᾳ ἐπέπεσε τῷ Φαρναβάζου 10
στρατοπέδῳ· τὸ δὲ στρατόπεδον ἁλίσκεται καὶ πολλὰ μὲν
ἐκπώματα καὶ ἄλλα δὴ οἷα Φαρναβάζου κτήματα, πρὸς δὲ
τούτοις σκεύη πολλὰ καὶ ὑποζύγια σκευοφόρα. ἐπεὶ δὲ τὰ
ληφθέντα χρήματα ἀπήγαγον οἵ τε Παφλαγόνες καὶ ὁ Σπιθρι-
δάτης, ἀφείλετο ἅπαντα ὁ Ἡριππίδας. ἐκεῖνοι δὲ ταῦτα παθόντες 15
οὐκ ἤνεγκαν ἀλλ᾽ ὡς ἀδικηθέντες ᾤχοντο εἰς Σάρδεις. Ἀγησιλάῳ
μὲν δὴ τῆς ἀπολείψεως τοῦ Σπιθριδάτου καὶ τῶν Παφλαγόνων
οὐδὲν ἐγένετο βαρύτερον ἐν τῇ στρατείᾳ.

XENOPHON

56–9

THE next four passages describe the famous meeting between Agesi-
laus and Pharnabazus.

56

Spartan simplicity puts Oriental luxury to shame

ἦν δέ τις Ἀπολλοφάνης Κυζικηνός, ὃς καὶ Φαρναβάζῳ ἐτύγχανεν
ἐκ παλαιοῦ ξένος ὤν, καὶ Ἀγησιλάῳ κατ᾽ ἐκεῖνον τὸν χρόνον
ἐξενώθη. οὗτος οὖν εἶπε πρὸς τὸν Ἀγησίλαον ὡς οἴοιτο συναγαγεῖν

ἂν αὐτῷ εἰς λόγους περὶ φιλίας Φαρνάβαζον. ὡς δ᾽ ἤκουσεν
5 αὐτοῦ, σπονδὰς λαβὼν καὶ δεξιάν, παρῆν ἄγων τὸν Φαρνάβαζον
εἰς συγκείμενον χωρίον, ἔνθα δὴ Ἀγησίλαος καὶ οἱ περὶ αὐτὸν
τριάκοντα χαμαὶ ἐν πόᾳ τινὶ κατακείμενοι ἀνέμενον· ὁ δὲ
Φαρνάβαζος ἧκεν ἔχων στολὴν πολλοῦ χρυσοῦ ἀξίαν. ὑποτι-
θέντων δὲ αὐτῷ τῶν θεραπόντων ῥαπτά, ἐφ᾽ ὧν καθίζουσιν οἱ
10 Πέρσαι μαλακῶς, ᾐσχύνθη ἐντρυφῆσαι, ὁρῶν τοῦ Ἀγησιλάου
τὴν φαυλότητα· κατεκλίθη οὖν καὶ αὐτὸς ὥσπερ εἶχε χαμαί.
καὶ πρῶτα μὲν ἀλλήλους χαίρειν προσεῖπαν, ἔπειτα τὴν δεξιὰν
προτείναντος τοῦ Φαρναβάζου ἀντιπρούτεινε καὶ ὁ Ἀγησίλαος.
μετὰ δὲ τοῦτο ἤρξατο λόγου ὁ Φαρνάβαζος· καὶ γὰρ ἦν πρε-
15 σβύτερος.

XENOPHON

57

Pharnabazus complains at the Spartans'
sense of gratitude

καὶ ὁ Φαρνάβαζος εἶπε τάδε· "Ὦ Ἀγησίλαε καὶ πάντες οἱ
παρόντες Λακεδαιμόνιοι, ἐγὼ ὑμῖν, ὅτε τοῖς Ἀθηναίοις ἐπολε-
μεῖτε, φίλος καὶ σύμμαχος ἐγενόμην, καὶ τὸ μὲν ναυτικὸν τὸ
ὑμέτερον χρήματα παρέχων ἰσχυρὸν ἐποίουν, ἐν δὲ τῇ γῇ αὐτὸς
5 ἀπὸ τοῦ ἵππου μαχόμενος μεθ᾽ ὑμῶν εἰς τὴν θάλατταν κατε-
δίωκον τοὺς πολεμίους· τοιοῦτος δὲ γενόμενος, νῦν οὕτω διά-
κειμαι ὑφ᾽ ὑμῶν ὥστε οὐδὲ δεῖπνον ἔχω ἐν τῇ ἐμαυτοῦ χώρᾳ, εἰ
μή τι ὧν ἂν ὑμεῖς λίπητε συλλέξομαι, ὥσπερ τὰ θηρία. ἃ δέ μοι
ὁ πατὴρ καὶ οἰκήματα καλὰ καὶ παραδείσους καὶ δένδρων καὶ
10 θηρίων μεστοὺς κατέλιπεν, ταῦτα πάντα ὁρῶ τὰ μὲν κατακεκομ-
μένα τὰ δὲ κατακεκαυμένα. εἰ οὖν ἐγὼ μὴ γιγνώσκω μήτε τὰ
ὅσια μήτε τὰ δίκαια, ὑμεῖς διδάξατέ με ὅπως ταῦτ᾽ ἐστὶν ἀνδρῶν
ἐπισταμένων χάριτας ἀποδιδόναι." ὁ μὲν ταῦτ᾽ εἶπεν. οἱ δὲ
πάντες ᾐσχύνθησαν καὶ ἐσιώπησαν.

XENOPHON

SECTION II 59

58

Blood is thicker than water

ὁ μὲν Φαρνάβαζος ταῦτ' εἶπεν. οἱ δὲ τριάκοντα πάντες μὲν
ἐσιώπησαν· ὁ δὲ Ἀγησίλαος χρόνῳ ποτὲ εἶπεν· "Ἀλλ' οἶμαι μέν
σε, ὦ Φαρνάβαζε, εἰδέναι ὅτι καὶ ἐν ταῖς Ἑλληνικαῖς πόλεσι
ξένοι ἀλλήλοις γίγνονται ἄνθρωποι. οὗτοι δέ, ὅταν αἱ πόλεις
πολέμιαι γένωνται, σὺν ταῖς πατρίσι πολεμοῦσι, καὶ πρὸς τοὺς 5
ἐξενωμένους, καὶ ἐὰν οὕτω τύχωσιν, ἔστιν ὅτε καὶ ἀπέκτειναν
ἀλλήλους. καὶ ἡμεῖς οὖν νῦν βασιλεῖ τῷ ὑμετέρῳ πολεμοῦντες,
πάντα ἠναγκάσμεθα τὰ ἐκείνου πολέμια νομίζειν· σοί γε μέντοι
φίλοι γενέσθαι περὶ παντὸς ἂν ποιησαίμεθα. καὶ εἰ μὲν ἀλλά-
ξασθαί σε ἔδει ἀντὶ δεσπότου βασιλέως ἡμᾶς δεσπότας, οὐκ ἂν 10
ἔγωγέ σοι συνεβούλευον ἀλλάξασθαι· νῦν δὲ ἔξεστί σοι μεθ' ἡμῶν
γενομένῳ μηδένα δεσπότην ἔχοντα ζῆν καρπούμενον τὰ σαυτοῦ.
καίτοι ἐλεύθερον εἶναι ἐγὼ μὲν οἶμαι ἀντάξιον εἶναι τῶν πάντων
χρημάτων· οὐδὲ μέντοι κελεύομέν σε πένητα μέν, ἐλεύθερον δ'
εἶναι, ἀλλ' ἡμῖν συμμάχοις χρώμενον αὐξάνειν μὴ τὴν βασιλέως 15
ἀλλὰ τὴν σαυτοῦ ἀρχήν· καίτοι, εἰ ἅμα ἐλεύθερός τ' εἴης καὶ
πλούσιος γένοιο, τίνος ἂν δέοις μὴ οὐχὶ πάμπαν εὐδαίμων εἶναι;"

XENOPHON

59

Agesilaus cheerfully accepts Pharnabazus'
frank statement of his intentions

"Οὐκοῦν", ἔφη ὁ Φαρνάβαζος, "ἁπλῶς ὑμῖν ἀποκρίνομαι ἅπερ
ποιήσω;" "Πρέπει γοῦν σοι", ἀπεκρίνατο ὁ Ἀγησίλαος.
"Ἐγὼ τοίνυν", ἔφη, "ἐὰν βασιλεὺς ἄλλον μὲν στρατηγὸν πέμπῃ,
ἐμὲ δὲ ὑπήκοον ἐκείνου τάττῃ, βουλήσομαι ὑμῖν καὶ φίλος καὶ
σύμμαχος εἶναι· ἐὰν μέντοι μοι τὴν ἀρχὴν προστάττῃ (τοιοῦτόν 5
τι, ὡς ἔοικε, φιλοτιμία ἐστίν) εὖ χρὴ εἰδέναι ὅτι πολεμήσω ὑμῖν

ὡς ἂν δύνωμαι ἄριστα." ἀκούσας ταῦτα ὁ Ἀγησίλαος ἐλάβετο
τῆς χειρὸς αὐτοῦ καὶ εἶπεν· "Εἴθ', ὦ Φαρνάβαζε, τοιοῦτος ὢν
φίλος ἡμῖν γένοιο· ἐν δ' οὖν", ἔφη, "ἐπίστω, ὅτι νῦν τε ἄπειμι
10 ὡς ἂν δύνωμαι τάχιστα ἐκ τῆς σῆς χώρας, τοῦ τε λοίπου, κἂν
πόλεμος ᾖ, ἕως ἂν ἐπ' ἄλλον ἔχωμεν στρατεύεσθαι, σοῦ τε καὶ
τῶν σῶν ἀφεξόμεθα."

XENOPHON

60–6

THE next sequence is taken from the *Anabasis*, or 'History of Alexan-
der' written by Arrian (Flavius Arrianus, A.D. *c.* 96–180). Arrian was
a successful military commander in the reigns of Hadrian and his
successors, notable among his achievements being the repulse of a
major invasion by the Alani when he was governor of Cappadocia
in 134. Relying on earlier sources, he wrote this important history of
Alexander the Great, upon which we depend to a very considerable
extent for accurate information about his conquests. Throughout, his
history is illuminated by his own experience of military and practical
affairs.

Alexander the Great, properly Alexander III of Macedon (356–
323 B.C.), after establishing his position on the throne to which he
succeeded at the age of twenty, set about invading the Persian Empire.
After his first successes over the Persians at the battles of Granicus
and of Issus, he turned his attentions to Palestine and Egypt. Having
been successful there, in 331 he turned to Persia itself, where Darius
III had collected another army. In this year he fought his greatest
battle at Gaugamela, beyond the river Tigris in the plains of Assyria,
modern Iraq. The present selection deals with the preparations for
the battle, and includes some scenes from the actual engagement, in
which Alexander finally defeated Darius and destroyed the power
of Persia.

60

Darius' army and his preparations
for the battle

ἐλέγετο δὲ ἡ πᾶσα στρατιὰ ἡ τοῦ Δαρείου ἱππεῖς μὲν ἐς τετρακισ-
μυρίους, πεζοὶ δὲ ἐς ἑκατὸν μυριάδας, καὶ ἅρματα δρεπανηφόρα

διακόσια, ἐλέφαντες δὲ οὐ πολλοί, ἀλλὰ ἐς πεντεκαίδεκα μάλιστα Ἰνδοῖς τοῖς ἐπὶ τάδε τοῦ Ἰνδοῦ ἦσαν. ξὺν ταύτῃ τῇ δυνάμει ἐστρατοπεδεύκει Δαρεῖος ἐν Γαυγαμήλοις πρὸς ποταμῷ 5 Βουμώδῳ ἀπέχων Ἀρβήλων τῆς πόλεως ὅσον ἑξακοσίους σταδίους, ἐν χώρῳ ὁμαλῷ πάντῃ. καὶ γὰρ ὅσα ἀνώμαλα αὐτοῦ εἰς ἱππασίαν, ταῦτα δὲ ἐκ πολλοῦ οἱ Πέρσαι τοῖς τε ἅρμασιν ἐπελαύνειν εὐπετῆ ἐπεποιήκεσαν καὶ τῇ ἵππῳ ἱππάσιμα. ἦσαν γὰρ οἳ ἀνέπειθον Δαρεῖον ὑπὲρ τῆς πρὸς Ἰσσῷ γενομένης 10 μάχης ὅτι ἄρα ἐμειονέκτησε τῶν χωρίων τῇ στενότητι· καὶ Δαρεῖος οὐ χαλεπῶς ἐπείθετο.

ARRIAN

61

Alexander's preparations

ταῦτα ὡς ἐξηγγέλθη Ἀλεξάνδρῳ πρὸς τῶν κατασκόπων τῶν Περσῶν ὅσοι ἑάλωσαν, ἔμεινεν αὐτοῦ ἵνα ἐξηγγέλθη ἡμέρας τέσσαρας· καὶ τήν τε στρατιὰν ἐκ τῆς ὁδοῦ ἀνέπαυσε, τὸ δὲ στρατόπεδον τάφρῳ τε καὶ χάρακι ἐτείχισεν. ἔγνω γὰρ τὰ μὲν σκευοφόρα ἀπολείπειν καὶ ὅσοι τῶν στρατιωτῶν ἀπόμαχοι ἦσαν, 5 αὐτὸς δὲ ξὺν τοῖς μαχίμοις οὐδὲν ἄλλο εἰ μὴ ὅπλα φέρουσιν ἰέναι ἐς τὸν ἀγῶνα. ἀναλαβὼν οὖν τὴν δύναμιν νυκτὸς ἦγεν ἀμφὶ δευτέραν φυλακὴν μάλιστα, ὡς ἅμ᾽ ἡμέρᾳ προσμῖξαι τοῖς βαρβάροις. Δαρεῖος δέ, ὡς προσηγγέλθη αὐτῷ προσάγων ἤδη Ἀλέξανδρος, ἐκτάσσει τὴν στρατιὰν ὡς ἐς μάχην. καὶ Ἀλέξανδρος 10 ἦγεν ὡσαύτως τεταγμένους. καὶ ἀπεῖχε μὲν ἀλλήλων τὰ στρατόπεδα ὅσον ἑξήκοντα σταδίους, ἀλλ᾽ οὔπω καθεώρων ἀλλήλους· γήλοφοι γὰρ ἐν μέσῳ ἐπίπροσθεν ἀμφοῖν ἦσαν.

ARRIAN

62

Alexander's preparations (*continued*)

ὡς δὲ ἀπεῖχεν Ἀλέξανδρος ὅσον ἐς τριάκοντα σταδίους καὶ κατ'
αὐτῶν ἤδη τῶν γηλόφων ᾔει αὐτῷ ὁ στρατός, ἐνταῦθα ὡς εἶδε
τοὺς βαρβάρους ἔστησε τὴν αὐτοῦ φάλαγγα· καὶ ξυγκαλέσας
αὐτούς τε τοὺς ἑταίρους καὶ στρατηγοὺς καὶ ἰλάρχας καὶ τῶν συμ-
5 μάχων τε καὶ τῶν μισθοφόρων ξένων τοὺς ἡγεμόνας, ἐβουλεύετο εἰ
αὐτόθεν ἐπάγοι ἤδη τὴν φάλαγγα, ὡς οἱ πλεῖστοι ἄγειν ἐκέλευον,
ἢ καθάπερ Παρμενίωνι καλῶς ἔχειν ἐδόκει, τότε μὲν αὐτοῦ
καταστρατοπεδεύειν, κατασκέψασθαι δὲ τόν τε χῶρον ξύμπαντα,
εἰ δή τι ὕποπτον αὐτοῦ ἢ ἄπορον, ἢ εἴ πη τάφροι ἢ σκόλοπες
10 καταπεπηγότες ἀφανεῖς, καὶ τὰς τάξεις τῶν πολεμίων ἀκρι-
βέστερον κατιδεῖν. καὶ νικᾷ Παρμενίων τῇ γνώμῃ, καὶ κατα-
στρατοπεδεύουσιν αὐτοῦ ὅπως τεταγμένοι ἔμελλον ἰέναι ἐς τὴν
μάχην.

ARRIAN

63

The opening moves of the battle

ἤδη τε οἱ τῶν Σκυθῶν ἱππεῖς παριππεύοντες ἥπτοντο τῶν προ-
τεταγμένων τῆς Ἀλεξάνδρου τάξεως καὶ Ἀλέξανδρος ἔτι ὅμως
ἦγεν ἐπὶ δόρυ, καὶ ἐγγὺς ἦν τοῦ ἐξαλλάσσειν τὸν ὡδοπεποιημένον
πρὸς τῶν Περσῶν χῶρον. ἔνθα δὴ δείσας Δαρεῖος μὴ προχωρη-
5 σάντων εἰς τὰ οὐχ ὁμαλὰ τῶν Μακεδόνων ἀχρεῖά σφισι γένηται
τὰ ἅρματα, κελεύει τοὺς προτεταγμένους τοῦ εὐωνύμου περι-
ιππεύειν τὸ κέρας τὸ δεξιόν, ᾗ Ἀλέξανδρος ἦγε, ἵνα μηκέτι
προσωτέρω ἐξάγοιεν τὸ κέρας. τούτου δὲ γενομένου Ἀλέξανδρος
ἐμβάλλειν κελεύει ἐς αὐτοὺς τοὺς μισθοφόρους ἱππέας, ὧν
10 ἡγεῖτο Μενίδας. ἀντεκδραμόντες δὲ ἐπ' αὐτοὺς οἵ τε Σκύθαι
ἱππεῖς καὶ τῶν Βακτρίων οἱ ξυντεταγμένοι τοῖς Σκύθαις

τρέπουσιν ὀλίγους ὄντας πολλῷ πλείονες. Ἀλέξανδρος δὲ τοὺς
περὶ Ἀρίστωνά τε, τοὺς Παίονας, καὶ τοὺς ξένους ἐμβαλεῖν
τοῖς Σκύθαις ἐκέλευσε, καὶ ἐγκλίνουσιν οἱ βάρβαροι.

ARRIAN

64

Darius' scythed chariots do little damage

καὶ ἐν τούτῳ τὰ ἅρματα τὰ δρεπανηφόρα ἐφῆκαν οἱ βάρβαροι
κατ' αὐτὸν Ἀλέξανδρον, ὡς ἀναταράξοντες αὐτῷ τὴν φάλαγγα.
καὶ ταύτῃ μάλιστα ἐψεύσθησαν· τὰ μὲν γὰρ εὐθὺς ὡς προσεφέρετο
κατηκόντισαν οἵ τε Ἀγριᾶνες καὶ οἱ ξὺν Βαλάκρῳ ἀκοντισταὶ οἱ
προτεταγμένοι τῆς ἵππου τῶν ἑταίρων· τὰ δὲ τῶν ἡνίων ἀντι- 5
λαμβανόμενοι τούς τε ἀναβάτας καθεῖλκον καὶ τοὺς ἵππους περι-
ιστάμενοι ἔκοπτον. ἔστι δὲ ἃ καὶ διεξέπεσε διὰ τῶν τάξεων·
διέσχον γὰρ, ὥσπερ παρήγγελτο αὐτοῖς, ὅπου προσέπιπτε τὰ
ἅρματα· καὶ ταύτῃ μάλιστα ξυνέβη αὐτὰ ἀσφαλῆ διελθεῖν
ἀβλαβεῖς ἐκείνους οἷς ἐπηλάθη· ἀλλὰ καὶ τούτων οἱ ὑπασπισταὶ 10
οἱ βασιλικοὶ ἐκράτησαν.

ARRIAN

65

Persian panic

ὡς δὲ Δαρεῖος ἐπῆγεν ἤδη τὴν φάλαγγα πᾶσαν, ἐνταῦθα Ἀλέξαν-
δρος Ἀρέτην μὲν κελεύει ἐμβαλεῖν τοῖς περιιππεύουσι τὸ κέρας
σφῶν τὸ δεξιὸν ὡς ἐς κύκλωσιν· αὐτὸς δὲ τέως μὲν ἐπὶ κέρως
τοὺς ἀμφ' αὑτὸν ἦγε· τῶν δὲ ἐκβοηθησάντων ἱππέων τοῖς
κυκλουμένοις τὸ κέρας τὸ δεξιὸν παραρρηξάντων τι τῆς πρώτης 5
φάλαγγος τῶν βαρβάρων, ὥσπερ ἔμβολον ποιήσας τῆς τε ἵππου
τῆς ἑταιρικῆς καὶ τῆς φάλαγγος τῆς ταύτῃ τεταγμένης, ἦγε
δρόμῳ τε καὶ ἀλαλαγμῷ ἐπὶ αὐτὸν Δαρεῖον. καὶ χρόνον μέν τινα

ὀλίγον ἐν χερσὶν ἡ μάχη ἐγένετο· ὡς δὲ οἵ τε ἱππεῖς οἱ ἀμφ'
10 Ἀλέξανδρον καὶ αὐτὸς Ἀλέξανδρος βιαίως ἐνέκειντο καὶ πάντα
τὰ δεινὰ Δαρείῳ, καὶ πάλαι ἤδη φοβέρῳ ὄντι, ἐφαίνετο, πρῶτος
αὐτὸς ἐπιστρέψας ἔφευγεν.

ARRIAN

66

The final crisis of the battle and Alexander's victory

καὶ ἐν τούτῳ πέμπει Παρμενίων παρ' Ἀλέξανδρον σπουδῇ
ἀγγελοῦντα ὅτι ἐν ἀγῶνι ξυνέχεται τὸ κατὰ σφᾶς, καὶ βοηθεῖν
δεῖ. ταῦτα ὡς ἐξηγγέλθη Ἀλεξάνδρῳ, τοῦ μὲν διώκειν ἔτι ἀπε-
τράπετο, ἐπιστρέψας δὲ σὺν τῇ ἵππῳ τῶν ἑταίρων ἐπὶ τὸ δεξιὸν
5 τῶν βαρβάρων ἦγε δρόμῳ. καὶ πρῶτα μὲν τοῖς φεύγουσι τῶν
πολεμίων ἱππεῦσι, τοῖς τε Παρθυαίοις καὶ ἔστιν οἷς τῶν Ἰνδῶν
καὶ Πέρσαις τοῖς πλείστοις καὶ κρατίστοις ἐμβάλλει. καὶ ἱππο-
μαχία αὕτη καρτερωτάτη τοῦ παντὸς ἔργου ξυνέστη· ἔκοπτόν
τε γὰρ καὶ ἐκόπτοντο ἀφειδῶς, οἷα δὴ οὐχ ὑπὲρ νίκης ἀλλοτρίας
10 ἔτι, ἀλλ' ὑπὲρ σωτηρίας οἰκείας ἀγωνιζόμενοι καὶ ἐνταῦθα
πίπτουσι μὲν ἀμφὶ ἑξήκοντα τῶν ἑταίρων τοῦ Ἀλεξάνδρου,
καὶ τιτρώσκεται Ἡφαιστίων τε αὐτὸς καὶ Κοῖνος καὶ Μενίδας·
ἀλλὰ ἐκράτησε καὶ τούτων Ἀλέξανδρος.

ARRIAN

67

DARIUS himself escaped from the Battle of Gaugamela, but from
then on became a mere fugitive; this passage, from Plutarch's 'Life
of Alexander', describes an incident during the pursuit of Darius.
One of the factors which contributed to Alexander's genius as a
military commander was his own personal courage and endurance,
which helped to retain the loyalty of his troops through all the hard-
ships of his campaigns.

67

Leadership by example

τότε δ' ἐξήλαυνεν ἐπὶ Δαρεῖον, ὡς πάλιν μαχούμενος· διὰ δὲ τὴν
δίωξιν μακρὰν γιγνομένην ἔκαμον μὲν οἱ πλεῖστοι, καὶ μάλιστα
κατὰ τὴν ἄνυδρον. ἔνθα δὴ Μακεδόνες ἀπήντησαν αὐτῷ τινες
ὕδωρ ἐν ἀσκοῖς ἐφ' ἡμιόνων κομίζοντες ἀπὸ τοῦ ποταμοῦ·
καὶ ἰδόντες τὸν Ἀλέξανδρον ἤδη κακῶς ὑπὸ δίψους ἔχοντα 5
ταχὺ πλησάμενοι κράνος προσήνεγκαν. ὁ δὲ ἔλαβεν εἰς τὰς
χεῖρας τὸ κράνος· περιβλέψας δὲ καὶ θεασάμενος τοὺς περὶ αὐτὸν
ἱππέας ἅπαντας πρὸς αὐτὸν βλέποντας ἀπέδωκεν οὐ πιών, ἀλλ'
ἐπαινέσας τοὺς ἀνθρώπους· "Ἐὰν γὰρ αὐτός", ἔφη, "πίω μόνος,
ἀθυμήσουσιν οὗτοι." θεασάμενοι δὲ τὴν ἐγκράτειαν αὐτοῦ καὶ 10
μεγαλοψυχίαν οἱ ἱππεῖς ἄγειν ἐκέλευον θαρροῦντα καὶ τοὺς
ἵππους ἐμάστιζον· οὔτε γὰρ κάμνειν ἔφασαν οὔτε διψᾶν οὔθ'
ὅλως θνητοὺς εἶναι νομίζειν αὐτούς, ἕως ἂν ἔχωσι βασιλέα
τοιοῦτον. ἡ μὲν οὖν προθυμία πάντων ἦν ὁμοία, μόνους δέ φασιν
ἑξήκοντα μετ' αὐτοῦ ἀφικέσθαι εἰς τὸ στρατόπεδον τῶν πολεμίων. 15

PLUTARCH

68

IN 399 B.C. Socrates was tried by the Athenians on the charges of
introducing strange gods and of corrupting the youth; after he had
made a speech in his defence (the *Apology*), he was condemned to
death; he refused to take advantage of a plan for his escape arranged
by his friends, and a month after his condemnation he drank the
hemlock and died. Plato was about thirty years of age at the time of
Socrates' death, and was greatly influenced by his life and thought.
This passage comes from his dialogue *Phaedo*. Phaedo, who came from
Elis, was one of Socrates' most devoted disciples and Plato puts into
his mouth an account of a lengthy conversation he had with Socrates
in the prison on the day of his death.

68

A libation of hemlock?

καὶ ὁ Κρίτων ἀκούσας ἔνευσε τῷ παιδὶ πλησίον ἑστῶτι. καὶ ὁ
παῖς ἐξελθὼν καὶ συχνὸν χρόνον διατρίψας ἧκεν ἄγων τὸν μέλ-
λοντα δώσειν τὸ φάρμακον, ἐν κύλικι φέροντα τετριμμένον. ἰδὼν
δὲ ὁ Σωκράτης τὸν ἄνθρωπον, "Εἶεν," ἔφη, "ὦ βέλτιστε, σὺ γὰρ
5 τούτων ἐπιστήμων, τί χρὴ ποιεῖν;" "Οὐδὲν ἄλλο", ἔφη, "ἢ
πιόντα περιιέναι, ἕως ἄν σου βάρος ἐν τοῖς σκέλεσι γένηται,
ἔπειτα κατακεῖσθαι· καὶ οὕτως αὐτὸ ποιήσει." καὶ ἅμα ὤρεξε
τὴν κύλικα τῷ Σωκράτει· καὶ ὃς λαβὼν καὶ μάλα ἵλεως, ὦ
Ἐχέκρατες, οὐδὲν τρέσας οὐδὲ διαφθείρας οὔτε τοῦ χρώματος
10 οὔτε τοῦ προσώπου, ἀλλ' ὥσπερ εἰώθει ταυρηδὸν ὑποβλέψας
πρὸς τὸν ἄνθρωπον, "Τί λέγεις", ἔφη, "περὶ τοῦδε τοῦ πώματος
πρὸς τὸ ἀποσπεῖσαί τινι; ἔξεστιν, ἢ οὔ;" "Τοσοῦτον," ἔφη,
"ὦ Σώκρατες, τρίβομεν, ὅσον οἰόμεθα μέτριον εἶναι πιεῖν."
"Μανθάνω", ἦ δ' ὅς.

PLATO

69

SOCRATES was put to death in 399 B.C., and left nothing written,
but his disciple Plato—and others—soon began to publish works
about him, one of which is the *Apology*. Shortly after 393 B.C. a well-
known sophist named Polycrates published an attack on Socrates'
memory. Xenophon, now living the life of a country gentleman at
Scillus near Olympia, published his *Memorabilia* as an answer to this
attack. The whole work consists of four books, containing (1) a de-
fence of Socrates and (2) anecdotes about Socrates and 'conversa-
tions' with him. This passage is concerned with the defence of
Socrates and includes the opening sentence of the work. Xenophon
nowhere claims any real intimacy with Socrates.

69

Socrates had nothing to hide

πολλάκις ἐθαύμασα τίσι ποτὲ λόγοις Ἀθηναίους ἔπεισαν οἱ
γραψάμενοι Σωκράτην ὅτι ἄξιος εἴη θανάτου. ἡ μὲν γὰρ γραφὴ
κατ' αὐτοῦ τοιάδε τις ἦν· ἀδικεῖ Σωκράτης οὓς μὲν ἡ πόλις
νομίζει θεοὺς οὐ νομίζων, ἕτερα δὲ καινὰ δαιμόνια εἰσφέρων·
ἀδικεῖ δὲ καὶ τοὺς νέους διαφθείρων.   5

ἀλλὰ μὴν ἐκεῖνός γε ἀεὶ μὲν ἦν ἐν τῷ φανερῷ· πρώ τε γὰρ
εἰς τὰ γυμνάσια ᾔει καὶ ἐκεῖ φανερὸς ἦν, καὶ τὸ λοιπὸν ἀεὶ τῆς
ἡμέρας ἦν ὅπου πλείστοις μέλλοι συνέσεσθαι· καὶ ἔλεγε μὲν ὡς
τὸ πολύ, τοῖς δὲ βουλομένοις ἐξῆν ἀκούειν. οὐδεὶς δὲ πώποτε
Σωκράτους οὐδὲν ἀσεβὲς οὐδ' ἀνόσιον οὔτε πράττοντος εἶδεν   10
οὔτε λέγοντος ἤκουσεν.

XENOPHON

70

In his *Memorabilia* Xenophon, after completing his 'defence' of
Socrates, goes on to record a series of conversations between Socrates
and his friends. Xenophon's intention was to show that Socrates by
the quality of his own personal life was a good teacher of goodness
and virtue. This passage occurs in a conversation between Socrates
and Antiphon on self-control.

70

Socrates' view on material comforts

καὶ πάλιν ποτὲ ὁ Ἀντιφῶν προσελθὼν τῷ Σωκράτει ἔλεξε τάδε·
"Ὦ Σώκρατες, ἐγὼ μὲν ᾠόμην τοὺς φιλοσοφοῦντας εὐδαιμονε-
στέρους χρῆναι γίγνεσθαι· σὺ δέ μοι δοκεῖς τἀναντία τῆς φιλο-
σοφίας ἀπολελαυκέναι. ζῇς γοῦν οὕτως ὡς οὐδ' ἂν εἷς δοῦλος ὑπὸ
δεσπότῃ διαιτώμενος μείνειε· σῖτά τε σιτῇ καὶ ποτὰ πίνεις τὰ   5

φαυλότατα καὶ ἱμάτιον φέρεις οὐ μόνον φαῦλον ἀλλὰ τὸ αὐτὸ
θέρους τε καὶ χειμῶνος, ἀνυπόδητός τε καὶ ἀχίτων διατελεῖς. καὶ
μὴν χρήματά γε οὐ λαμβάνεις ἃ τοὺς κεκτημένους ἐλευθεριώτερόν
τε καὶ ἥδιον ποιεῖ ζῆν. οἱ δὲ τῶν ἄλλων ἔργων διδάσκαλοι τοὺς
10 μαθητὰς μιμητὰς ἑαυτῶν ἀποδεικνύουσιν· εἰ οὖν οὕτω καὶ σὺ
τοὺς μαθητὰς διδάσκεις, νόμιζε κακοδαιμονίας διδάσκαλος
εἶναι." καὶ ὁ Σωκράτης πρὸς ταῦτα εἶπε· "'Έοικας, ὦ Ἀντιφῶν,
τὴν εὐδαιμονίαν οἰομένῳ τρυφὴν καὶ πολυτέλειαν εἶναι· ἐγὼ δὲ
ἐνόμιζον τὸ μὲν μηδενὸς δεῖσθαι θεῖον εἶναι, τὸ δ' ὡς ἐλαχίστων
15 ἐγγυτάτω τοῦ θείου."

XENOPHON

71-2

IN his *Apologia Socratis* Xenophon attempts to show why Socrates
did not defend himself better.

71

Socrates' attitude to death

ἐμοὶ μὲν οὖν δοκεῖ ὁ Σωκράτης θεοφιλοῦς μοίρας τετυχηκέναι·
τοῦ μὲν γὰρ βίου τὸ χαλεπώτατον ἀπέλιπε, τῶν δὲ θανάτων τοῦ
ῥάστου ἔτυχεν. ἐπεδείξατο δὲ τῆς ψυχῆς τὴν ῥώμην· ἐπεὶ γὰρ
ἔγνω τοῦ ἔτι ζῆν τὸ τεθνάναι αὐτῷ κρεῖττον εἶναι, ὥσπερ οὐδὲ
5 πρὸς τἆλλα τἀγαθὰ προσάντης ἦν, οὐδὲ πρὸς τὸν θάνατον ἐμαλα-
κίσατο, ἀλλ' ἱλαρῶς καὶ προσεδέχετο αὐτὸν καὶ ἐπετελέσατο.
ἐγὼ μὲν δὴ κατανοῶν τοῦ ἀνδρὸς τήν τε σοφίαν καὶ τὴν γεν-
ναιότητα οὔτε μὴ μεμνῆσθαι δύναμαι αὐτοῦ οὔτε μεμνημένος
μὴ οὐκ ἐπαινεῖν. εἰ δέ τις τῶν ἀρετῆς ἐφιεμένων ὠφελιμωτέρῳ
10 τινὶ Σωκράτους συνεγένετο, ἐκεῖνον ἐγὼ τὸν ἄνδρα ἀξιομακαρι-
στότατον νομίζω.

XENOPHON

72

The real greatness of Socrates

Σωκράτους δὲ ἄξιόν μοι δοκεῖ εἶναι μεμνῆσθαι καὶ ὡς ἐπειδὴ
ἐκλήθη εἰς τὴν δίκην ἐβουλεύσατο περί τε τῆς ἀπολογίας καὶ
τῆς τελευτῆς τοῦ βίου. γεγράφασι μὲν οὖν περὶ τούτου καὶ ἄλλοι
καὶ πάντες ἔτυχον τῆς μεγαληγορίας αὐτοῦ· ᾧ καὶ δῆλον ὅτι
τῷ ὄντι οὕτως ἐρρήθη ὑπὸ Σωκράτους. ἀλλ' ὅτι ἤδη ἑαυτῷ 5
ἡγεῖτο αἱρετώτερον εἶναι τοῦ βίου θάνατον, τοῦτο οὐ διεσαφή-
νισαν· ὥστε ἀφρονεστέρα αὐτοῦ φαίνεται εἶναι ἡ μεγαληγορία.
Ἑρμογένης μέντοι ὁ Ἱππονίκου ἑταῖρός τε ἦν αὐτῷ καὶ ἐξήγ-
γειλε περὶ αὐτοῦ τοιαῦτα ὥστε πρέπουσαν φαίνεσθαι τὴν μεγαλη-
γορίαν αὐτοῦ τῇ διανοίᾳ. ἐκεῖνος γὰρ ἔφη ὁρῶν αὐτὸν περὶ 10
πάντων μᾶλλον διαλεγόμενον ἢ περὶ τῆς δίκης εἰπεῖν· "Οὐκ
ἐχρῆν μέντοι σκοπεῖν, ὦ Σώκρατες, καὶ ὅ τι ἀπολογήσῃ;" τὸν δὲ
τὸ μὲν πρῶτον ἀποκρίνασθαι, "Οὐ γὰρ δοκῶ σοι ἀπολογεῖσθαι
μελετῶν διαβεβιωκέναι;" τότε δ' αὐτὸς ἐρέσθαι "Πῶς;" ""Οτι
οὐδὲν ἄδικον διαγεγένημαι ποιῶν· ἥνπερ νομίζω μελέτην εἶναι 15
καλλίστην ἀπολογίας. καὶ δὶς ἤδη ἐπιχειρήσαντός μου σκοπεῖν
περὶ τῆς ἀπολογίας ἐναντιοῦταί μοι τὸ δαιμόνιον."

XENOPHON

73

At the beginning of his history of the Peloponnesian War, Thucydides
traces Greek history from earliest times to the outbreak of the war.
The date of King Minos of Crete is not certain; Homer puts him
two generations before the fall of Troy, i.e. about 1250 B.C. The
word Minos may, in fact, be a title, and the period of Cretan
dominance was significantly earlier than Homer suggests. However,
the tradition of Crete as the earliest Aegean sea-power is well supported
by the Minoan pottery found in the Aegean islands, in Cyprus, and in
Egypt. Piracy was a constant plague in the Mediterranean; hence
early Greek cities were built some distance from the shore; harbours
were fortified and watch-towers were built.

73

A respectable occupation

Μίνως γὰρ παλαίτατος ὧν ἀκοῇ ἴσμεν ναυτικὸν ἐκτήσατο καὶ
τῆς νῦν Ἑλληνικῆς θαλάσσης ἐπὶ πλεῖστον ἐκράτησε καὶ τῶν
Κυκλάδων νήσων ἦρξέ τε καὶ οἰκιστὴς πρῶτος τῶν πλείστων
ἐγένετο, Κᾶρας ἐξελάσας καὶ τοὺς ἑαυτοῦ παῖδας ἡγεμόνας
5 ἐγκαταστήσας. τό τε ληστικόν, ὡς εἰκός, καθῄρει ἐκ τῆς θαλάσσης
ἐφ' ὅσον ἐδύνατο· οἱ γὰρ Ἕλληνες τὸ πάλαι καὶ τῶν βαρβάρων
οἵ τε ἐν τῇ ἠπείρῳ παραθαλάσσιοι καὶ ὅσοι νήσους εἶχον, ἐπειδὴ
ἤρξαντο μᾶλλον περαιοῦσθαι ναυσὶν ἐπ' ἀλλήλους, ἐτράποντο
πρὸς λῃστείαν, ἡγουμένων ἀνδρῶν οὐ τῶν ἀδυνατωτάτων κέρδους
10 τοῦ σφετέρου αὐτῶν ἕνεκα καὶ τοῖς ἀσθενέσι τροφῆς, καὶ προσ-
πίπτοντες πόλεσιν ἀτειχίστοις καὶ κατὰ κώμας οἰκουμέναις
ἥρπαζον καὶ τὸν πλεῖστον τοῦ βίου ἐντεῦθεν ἐποιοῦντο, οὐκ
ἔχοντός πω αἰσχύνην τούτου τοῦ ἔργου, φέροντος δέ τι καὶ δόξης
μᾶλλον.

THUCYDIDES

74-5

THE system of ostracism was instituted in the early fifth century B.C.
in Athens as a means of expelling from the city any popular leader
whose power had become too great, and thus was a kind of insurance
against the return of the tyranny. Once a year a vote was taken
as to whether an ostracism should be held or not; if there was a
majority in favour, the procedure described in this passage by
Plutarch was adopted. Aristides, whose ostracism is described, was an
Athenian soldier and statesman who played a great part in the
Persian Wars and the years after; he was in command of the Athenian
army at the battle of Plataea, and such was his reputation for honesty
that when the Confederacy of Delos was being formed, he was the
obvious choice as the person to assess the tribute to be paid by
each member state.

74

Aristides suffers because of his reputation for justice

ἦν δὲ τοιοῦτον τὸ γιγνόμενον. ὄστρακον λαβὼν ἕκαστος, καὶ
γράψας ὃν ἐβούλετο μεταστῆσαι τῶν πολιτῶν, ἔφερεν εἰς ἕνα
τόπον τῆς ἀγορᾶς περιπεφραγμένον ἐν κύκλῳ δρυφάκτοις. οἱ δ᾽
ἄρχοντες πρῶτον μὲν διηρίθμουν τὸ σύμπαν τῶν ὀστράκων
πλῆθος ἐν ταὐτῷ· εἰ γὰρ ἑξακισχιλίων ἐλάττονες οἱ γράψαντες 5
εἶεν, ἀτελὴς ἦν ὁ ἐξοστρακισμός. ἔπειτα τῶν ὀνομάτων ἕκαστον
ἰδίᾳ θέντες, τὸν ὑπὸ τῶν πλείστων γεγραμμένον ἐξεκήρυττον εἰς
ἔτη δέκα, καρπούμενον τὰ αὑτοῦ. γραφομένων οὖν τότε τῶν
ὀστράκων, λέγεταί τινα τῶν ἀγραμμάτων καὶ παντελῶς ἀγροίκων,
ἀναδόντα τῷ Ἀριστείδῃ τὸ ὄστρακον, ὡς ἑνὶ τῶν τυχόντων, 10
παρακαλεῖν ὅπως Ἀριστείδην ἐγγράφῃ. τοῦ δὲ θαυμάσαντος καὶ
πυθομένου μή τι κακὸν αὐτὸν Ἀριστείδης πεποίηκεν· "Οὐδέν,"
εἶπεν, "οὐδὲ γιγνώσκω τὸν ἄνθρωπον, ἀλλ᾽ ἐνοχλοῦμαι παν-
ταχοῦ 'τὸν Δίκαιον' ἀκούων." ταῦτ᾽ ἀκούσαντα τὸν Ἀριστείδην
ἀποκρίνασθαι μὲν οὐδέν, ἐγγράψαι δὲ τὸ ὄνομα τῷ ὀστράκῳ 15
καὶ ἀποδοῦναι. τῆς δὲ πόλεως ἀπαλλαττόμενος ἤδη, τὰς χεῖρας
ἀνατείνας πρὸς τὸν οὐρανόν, ηὔξατο τὴν ἐναντίαν εὐχὴν τῷ
Ἀχιλλεῖ, μηδένα καιρὸν Ἀθηναίους καταλαβεῖν, ὃς ἀναγκάσει
τὸν δῆμον Ἀριστείδου μνησθῆναι.

PLUTARCH

75

Andocides looks back to the time of the Persian Wars, and describes how the Athenians 'buried the hatchet'

οἱ γὰρ πατέρες οἱ ὑμέτεροι γενομένων τῇ πόλει κακῶν μεγάλων,
ὅτε οἱ τύραννοι μὲν εἶχον τὴν πόλιν, ὁ δὲ δῆμος ἔφευγε, νική-
σαντες μαχόμενοι τοὺς τυράννους ἐπὶ Παλληνίῳ, στρατηγοῦντος

Λεωγόρου τοῦ προπάππου τοῦ ἐμοῦ καὶ Χαρίου οὗ ἐκεῖνος τὴν
5 θυγατέρα εἶχεν, ἐξ ἧς ὁ ἡμέτερος ἦν πάππος, κατελθόντες εἰς
τὴν πατρίδα τοὺς μὲν ἀπέκτειναν, τῶν δὲ φυγὴν κατέγνωσαν.
ὕστερον δὲ ἡνίκα βασιλεὺς ἐπεστράτευσεν ἐπὶ τὴν Ἑλλάδα,
γνόντες τῶν συμφορῶν τῶν ἐπιουσῶν τὸ μέγεθος καὶ τὴν παρα-
σκευὴν τὴν βασιλέως, ἔγνωσαν τούς τε φεύγοντας καταδέξασθαι
10 καὶ τοὺς ἀτίμους ἐπιτίμους ποιῆσαι καὶ κοινὴν τήν τε σωτηρίαν
καὶ τοὺς κινδύνους ποιήσασθαι. πράξαντες δὲ ταῦτα, καὶ δόντες
ἀλλήλοις πίστεις καὶ ὅρκους μεγάλους, ἠξίουν σφᾶς αὐτοὺς
προτάξαντες πρὸ τῶν Ἑλλήνων ἁπάντων ἀπαντῆσαι τοῖς βαρ-
βάροις Μαραθῶνάδε, νομίσαντες τὴν σφετέραν αὐτῶν ἀρετὴν
15 ἱκανὴν εἶναι τῷ πλήθει τῷ ἐκείνων ἀντιτάξασθαι· μαχεσάμενοί
τε ἐνίκων, καὶ τήν τε Ἑλλάδα ἠλευθέρωσαν καὶ τὴν πατρίδα
ἔσωσαν. ἔργον δὲ τοιοῦτον ἐργασάμενοι, οὐκ ἠξίωσάν τινι τῶν
πρότερον γενομένων μνησικακῆσαι.

ANDOCIDES

(For notes on Andocides, and the circumstances in which this speech
was delivered, see p. 83).

76

AFTER the battle of Thermopylae in 480 B.C. most of central Greece
fell into Persian hands; Athens itself was evacuated, and the Greek
fleet withdrew to the island of Salamis, which lies in the Saronic
Gulf just over one mile off the west coast of Attica. Themistocles, the
Athenian commander, was having difficulty in convincing the Pelo-
ponnesians that this was the right place in which to defend their
country; he himself regarded it as essential for the Greek fleet, being
outnumbered, to fight in the narrows where they were. This passage,
from one of the 'Lives' of Plutarch (who wrote over five hundred
years later, in the first century A.D.), describes the method used by
Themistocles to persuade Xerxes to attack before the Greek fleet
broke up.

76

A useful prisoner of war

ἐδόκει δὲ τοῖς Ἕλλησι τῆς νυκτὸς ἀποχωρεῖν, καὶ παρηγγέλλετο
πλοῦς τοῖς κυβερνήταις. ἔνθα δὴ βαρέως φέρων ὁ Θεμιστοκλῆς
εἰ τὴν ἀπὸ τοῦ τόπου καὶ τῶν στενῶν βοήθειαν προέμενοι οἱ
Ἕλληνες διαλυθήσονται κατὰ πόλεις, ἐβουλεύετο καὶ συνετίθει
τὴν περὶ τὸν Σίκιννον πραγματείαν. ἦν δὲ τῷ μὲν γένει Πέρσης 5
ὁ Σίκιννος αἰχμάλωτος, εὔνους δὲ τῷ Θεμιστοκλεῖ, καὶ τῶν τέκνων
αὐτοῦ παιδαγωγός. ὃν ἐκπέμπει πρὸς τὸν Ξέρξην κρύφα, κελεύσας
λέγειν ὅτι Θεμιστοκλῆς ὁ τῶν Ἀθηναίων στρατηγός, αἱρούμενος
τὰ βασιλέως, ἐξαγγέλλει πρῶτος αὐτῷ τοὺς Ἕλληνας ἀποδιδρά-
σκοντας, καὶ διακελεύεται μὴ παρεῖναι φυγεῖν αὐτοῖς ἀλλ' ἐν ᾧ 10
ταράττονται, τῶν πεζῶν χωρὶς ὄντες, ἐπιθέσθαι καὶ διαφθεῖραι
τὴν ναυτικὴν δύναμιν. ταῦτα δ' ὁ Ξέρξης ὡς ἀπ' εὐνοίας λε-
λεγμένα δεξάμενος ἥσθη, καὶ τέλος εὐθὺς ἐξέφερε πρὸς τοὺς ἡγε-
μόνας τῶν νεῶν τὰς μὲν ἄλλας πληροῦν καθ' ἡσυχίαν, διακοσίαις
δ' ἀναχθέντας ἤδη περιβαλέσθαι τὸν πόρον ἐν κύκλῳ πάντα, καὶ 15
διαζῶσαι τὰς νήσους, ὅπως ἐκφύγοι μηδεὶς τῶν πολεμίων.

PLUTARCH

77

PAUSANIAS, son of the Spartan king Cleombrotus, as commander
of the Greek army at the battle of Plataea in 479 B.C. had been very
largely responsible for the defeat of the Persians. Later on, in com-
mand of an allied Greek fleet, he had captured Byzantium. But it
was while he was in Asia that he fell under suspicion of negotiating
treacherously with the Persians; Thucydides records that he adopted
Persian dress and employed a personal bodyguard. In 470 he was
recalled to Sparta and tried, but was acquitted for lack of proof.
The ephors (five senior Spartan magistrates elected each year in
order, among other things, to keep a close eye on the monarchy)
became convinced that Pausanias was fostering a revolt among the
Helots and so arranged for his arrest.

77

Pausanias' sanctuary becomes his tomb

λέγεται δὲ τὸν Παυσανίαν μέλλοντα ξυλληφθήσεσθαι ἐν τῇ ὁδῷ,
πρὸς τὸ ἱερὸν τῆς Χαλκιοίκου χωρῆσαι δρόμῳ· καὶ ἐς οἴκημα οὐ
μέγα ὃ ἦν τοῦ ἱεροῦ εἰσελθών, ἵνα μὴ ὑπαίθριος ταλαιπωροίη,
ἡσύχαζεν. οἱ δὲ ἔφοροι τοῦ τε οἰκήματος τὸν ὄροφον ἀφεῖλον καὶ
5 τὰς θύρας ἀπῳκοδόμησαν, προσκαθεζόμενοί τε ἐξεπολιόρκησαν
λιμῷ. καὶ μέλλοντος αὐτοῦ ἀποψύχειν ὥσπερ εἶχεν ἐν τῷ οἰκήματι,
αἰσθόμενοι ἐξάγουσιν ἐκ τοῦ ἱεροῦ ἔτι ἔμπνουν ὄντα καὶ ἐξαχθεὶς
ἀπέθανε παραχρῆμα. καὶ αὐτὸν ἐμέλλησαν μὲν ἐς τὸν Καιάδαν
ἐσβάλλειν· ἔπειτα ἔδοξε πλησίον που κατορύξαι. ὁ δὲ θεὸς ὁ ἐν
10 Δελφοῖς τόν τε τάφον ὕστερον ἔχρησε τοῖς Λακεδαιμονίοις
μετενεγκεῖν οὗπερ ἀπέθανε καὶ ὡς ἄγος αὐτοῖς ὂν τὸ πε-
πραγμένον δύο σώματα ἀνθ' ἑνὸς τῇ Χαλκιοίκῳ ἀποδοῦναι. οἱ δὲ
ποιησάμενοι χαλκοῦς ἀνδριάντας δύο ὡς ἀντὶ Παυσανίου ἀνέθεσαν.

THUCYDIDES

78

IT was after their punishment of Pausanias (see previous passage)
that the Spartans urged the Athenians to take similar action against
Themistocles, who also was suspected of negotiating with the Per-
sians. Themistocles, however, was more successful than Pausanias
in his attempts to escape his pursuers. (An incident in his flight from
the Athenians is described in Section I, § 26). Thucydides here de-
scribes his last days.

78

Secret burial

ὁ δὲ Θεμιστοκλῆς νοσήσας τελευτᾷ τὸν βίον· λέγουσι δέ τινες καὶ
ἑκούσιον φαρμάκῳ ἀποθανεῖν αὐτόν, ἀδύνατον νομίσαντα εἶναι
ἐπιτελέσαι βασιλεῖ ἃ ὑπέσχετο. μνημεῖον μὲν οὖν αὐτοῦ ἐν

Μαγνησία ἐστὶ τῆ Ἀσιανῆ ἐν τῆ ἀγορᾷ· ταύτης γὰρ ἦρχε τῆς
χώρας, δόντος βασιλέως αὐτῷ Μαγνησίαν μὲν ἄρτον, ἣ προσέφερε 5
πεντήκοντα τάλαντα τοῦ ἐνιαυτοῦ, Λάμψακον δὲ οἶνον (ἐδόκει
γὰρ πολυοινότατον τῶν τότε εἶναι), Μυοῦντα δὲ ὄψον. τὰ δὲ
ὀστᾶ φασὶ κομισθῆναι αὐτοῦ οἱ προσήκοντες οἴκαδε κελεύσαντος
ἐκείνου καὶ τεθῆναι κρύφα Ἀθηναίων ἐν τῆ Ἀττικῆ· οὐ γὰρ
ἐξῆν θάπτειν ὡς ἐπὶ προδοσίᾳ φεύγοντος. τὰ μὲν κατὰ Παυσανίαν 10
τὸν Λακεδαιμόνιον καὶ Θεμιστοκλέα τὸν Ἀθηναῖον, λαμπροτά-
τους γενομένους τῶν καθ' ἑαυτοὺς Ἑλλήνων, οὕτως ἐτελεύτησεν.

THUCYDIDES

79-80

DURING 430 B.C., while Athens was still suffering from the plague,
Sparta was very active in trying to extend her influence in the
north-west part of Greece; the Spartan admiral Cnemus was in the
area with a force of one hundred triremes. Athens responded by
sending her best admiral Phormio, with a fleet of twenty ships, to
Naupactus; this was a city on the north side of the Gulf of Corinth,
situated at the narrowest part of the entrance; his task was to main-
tain Athenian influence in the area; he had previously secured the
Acarnanians as allies of Athens. In 429 Cnemus, assisted by a large
Hellenic force and several barbarian detachments (Chaonians,
Molossians, and Thesprotians), invaded Acarnania; a Peloponnesian
fleet was to follow from Corinth. These two passages come from
Thucydides' account of the campaign.

79

The Acarnanians face the enemy alone

τούτῳ τῷ στρατῷ ἐπορεύετο Κνῆμος, καὶ διὰ τῆς Ἀργείας ἰόντες
Λιμναίαν, κώμην ἀτείχιστον, ἐπόρθησαν. ἀφικνοῦνταί τε ἐπὶ
Στράτον, πόλιν μεγίστην τῆς Ἀκαρνανίας, νομίζοντες, εἰ ταύτην
πρώτην λάβοιεν, ῥᾳδίως σφίσι τἆλλα προσχωρήσειν. Ἀκαρνᾶνες
δὲ αἰσθόμενοι κατά τε γῆν πολλὴν στρατιὰν ἐσβεβληκυῖαν 5

ἔκ τε θαλάσσης ναυσὶν ἅμα τοὺς πολεμίους παρεσομένους
οὔτε ξυνεβοήθουν ἐφύλασσόν τε τὰ αὐτῶν ἔκαστοι, παρά τε
Φορμίωνα ἔπεμπον κελεύοντες ἀμύνειν· ὁ δὲ ἀδύνατος ἔφη εἶναι
ναυτικοῦ ἐκ Κορίνθου μέλλοντος ἐκπλεῖν Ναύπακτον ἐρήμην
10 ἀπολιπεῖν. οἱ δὲ Πελοποννήσιοι καὶ οἱ ξύμμαχοι τρία τέλη
ποιήσαντες σφῶν αὐτῶν ἐχώρουν πρὸς τὴν τῶν Στρατίων πόλιν,
ὅπως ἐγγὺς στρατοπεδευσάμενοι, εἰ μὴ λόγοις πείθοιεν, ἔργῳ
πειρῷντο τοῦ τείχους. καὶ μέσον μὲν ἔχοντες προσῇσαν Χάονες
καὶ οἱ ἄλλοι βάρβαροι, ἐκ δεξιᾶς δ' αὐτῶν Λευκάδιοι καὶ
15 Ἀνακτόριοι καὶ οἱ μετὰ τούτων, ἐν ἀριστερᾷ δὲ Κνῆμος καὶ οἱ
Πελοποννήσιοι καὶ Ἀμπρακιῶται· διεῖχον δὲ πολὺ ἀπ' ἀλλήλων
καὶ ἔστιν ὅτε οὐδὲ ἑωρῶντο.

THUCYDIDES

80

Barbarian rashness

καὶ οἱ μὲν Ἕλληνες τεταγμένοι τε προσῇσαν καὶ διὰ φυλακῆς
ἔχοντες· οἱ δὲ Χάονες σφίσι τε αὐτοῖς πιστεύοντες καὶ ἀξιού-
μενοι ὑπὸ τῶν ἐκείνῃ ἠπειρωτῶν μαχιμώτατοι εἶναι, χωρήσαντες
ῥύμῃ μετὰ τῶν ἄλλων βαρβάρων ἐνόμισαν αὐτοβοεὶ ἂν τὴν
5 πόλιν ἑλεῖν καὶ αὐτῶν τὸ ἔργον γενέσθαι. γνόντες δ' αὐτοὺς οἱ
Στράτιοι ἔτι προσιόντας καὶ ἡγησάμενοι, μεμονωμένων εἰ
κρατήσειαν, οὐκ ἂν ἔτι σφίσι τοὺς Ἕλληνας ὁμοίως προσελθεῖν,
προλοχίζουσι δὴ τὰ περὶ τὴν πόλιν ἐνέδραις, καὶ ἐπειδὴ ἐγγὺς
ἦσαν, ἔκ τε τῆς πόλεως ὁμόσε χωρήσαντες καὶ ἐκ τῶν ἐνεδρῶν
10 προσπίπτουσιν. καὶ ἐς φόβον καταστάντων διαφθείρονταί τε
πολλοὶ τῶν Χαόνων, καὶ οἱ ἄλλοι βάρβαροι ὡς εἶδον αὐτοὺς
ἐνδόντας, οὐκέτι ὑπέμειναν, ἀλλ' ἐς φυγὴν κατέστησαν. τῶν δὲ
Ἑλληνικῶν στρατοπέδων οὐδέτερον ᾔσθετο τῆς μάχης διὰ τὸ
πολὺ προελθεῖν αὐτούς.

THUCYDIDES

81

THE great Athenian statesman Pericles (495–429 B.C.) was elected στρατηγός every year from 443 until his death, and was responsible for devising Athenian policy in the first years of the Peloponnesian War. According to this policy, the Athenians did not directly resist the annual Spartan invasions of Attica, but withdrew within the city walls and waited until the enemy had gone away. When, however, the plague destroyed Athenian morale in 430, he was driven from office and tried and fined for embezzlement. He was in fact again elected στρατηγός in 429, but he was himself sick from the plague and he died in the same year. This passage comes from Plutarch's *Pericles*.

81

Interruption from a dying man

ἤδη δὲ πρὸς τῷ τελευτᾶν ὄντος τοῦ Περικλέους περικαθήμενοι
τῶν πολιτῶν οἱ βέλτιστοι, καὶ τῶν φίλων οἱ περιόντες, λόγον
ἐποιοῦντο τῆς ἀρετῆς καὶ τῆς δυνάμεως, ὅση γένοιτο, καὶ τὰς
πράξεις ἀνεμετροῦντο καὶ τῶν τροπαίων τὸ πλῆθος· ἐννέα γὰρ
ἦν ἃ στρατηγῶν καὶ νικῶν ἔστησεν ὑπὲρ τῆς πόλεως. ταῦτα, ὡς 5
οὐκέτι συνιέντος ἀλλὰ καθῃρημένου τὴν αἴσθησιν αὐτοῦ, διελέ-
γοντο πρὸς ἀλλήλους· ὁ δὲ πᾶσιν ἐτύγχανε τὸν νοῦν προσεσχηκώς,
καὶ φθεγξάμενος εἰς μέσον, ἔφη θαυμάζειν ὅτι ταῦτα μὲν ἐπαι-
νοῦσιν αὐτοῦ καὶ μνημονεύουσιν, ἃ καὶ πρὸς τύχην ἐστὶ κοινά, καὶ
γέγονεν ἤδη πολλοῖς στρατηγοῖς· τὸ δὲ κάλλιστον καὶ μέγιστον 10
οὐ λέγουσιν. "Οὐδεὶς γάρ", ἔφη, "δι' ἐμὲ τῶν ὄντων Ἀθηναίων
μέλαν ἱμάτιον περιεβάλετο."

PLUTARCH

82

MYTILENE was the chief city of the large island of Lesbos. In 428 B.C. the whole island (apart from the city of Methymna) revolted from Athens. Athens intervened immediately, and in the autumn sent a force of one thousand hoplites under Paches, who succeeded in

blockading the city by land and sea. The Peloponnesian League had
promised help to Mytilene, but the fleet of about forty ships which
they had sent under Alcidas spent too long on the way and the
Mytilenians were eventually forced to surrender to the Athenians.
The Peloponnesian fleet in fact heard of the fall of the city seven days
afterwards, while they were still in mid-voyage; this passage from
Thucydides is the suggestion of one of the Peloponnesians as to what
their next step should be. (This suggestion was not in fact accepted
by Alcidas, and the fleet never reached Lesbos.)

82

The element of surprise

"Ἀλκίδα καὶ Πελοποννησίων ὅσοι πάρεσμεν ἄρχοντες τῆς
στρατιᾶς, ἐμοὶ δοκεῖ πλεῖν ἡμᾶς ἐπὶ Μυτιλήνην πρὶν ἐκπύστους
γενέσθαι, ὥσπερ ἔχομεν. κατὰ γὰρ τὸ εἰκὸς ἀνδρῶν νεωστὶ πόλιν
ἐχόντων πολὺ τὸ ἀφύλακτον εὑρήσομεν, κατὰ μὲν θάλασσαν καὶ
5 πάνυ, ᾗ ἐκεῖνοί τε ἀνέλπιστοι ἐπιγενέσθαι ἄν τινα σφίσι πολέμιον
καὶ ἡμῶν ἡ ἀλκὴ τυγχάνει μάλιστα οὖσα· εἰκὸς δὲ καὶ τὸ πεζὸν
αὐτῶν κατ᾽ οἰκίας ἀμελέστερον ὡς κεκρατηκότων διεσπάρθαι.
εἰ οὖν προσπέσοιμεν ἄφνω τε καὶ νυκτός, ἐλπίζω μετὰ τῶν
ἔνδον, εἴ τις ἄρα ἡμῖν ἐστιν ὑπόλοιπος εὔνους, καταληφθῆναι
10 ἂν τὰ πράγματα. καὶ μὴ ἀποκνήσωμεν τὸν κίνδυνον, νομίσαντες
οὐκ ἄλλο τι εἶναι τὸ κενὸν τοῦ πολέμου ἢ τὸ τοιοῦτον, ὃ εἴ τις
στρατηγὸς ἔν τε αὑτῷ φυλάσσοιτο καὶ τοῖς πολεμίοις ἐνορῶν
ἐπιχειροίη, πλεῖστ᾽ ἂν ὀρθοῖτο."

THUCYDIDES

83

THE revolt of Mytilene, mentioned in the previous note, aroused
great bitterness at Athens, which was still suffering from the plague.
It was decreed by the Assembly that as a punishment all the adult
males should be killed, and all the women and children sold into
slavery. A ship bearing this terrible news was immediately dispatched.
Next morning there was a general feeling that they had been too

severe, and the Mytilenian ambassadors who were still in the city
helped to persuade the authorities to have a second vote taken. On
this occasion it was decided to punish only those directly responsible
for the revolt, and a second ship was sent off to rescind the previous
order; the journey of this second ship is described in this passage.

83

The nick of time

καὶ τριήρη εὐθὺς ἄλλην ἀπέστελλον κατὰ σπουδήν, ὅπως μὴ
φθασάσης τῆς προτέρας εὕρωσι διεφθαρμένην τὴν πόλιν· προεῖχε
δὲ ἡμέρᾳ καὶ νυκτὶ μάλιστα. παρασκευασάντων δὲ τῶν Μυτιλη-
ναίων πρέσβεων τῇ νηὶ οἶνον καὶ ἄλφιτα, καὶ μεγάλα ὑποσχο-
μένων, εἰ φθάσειαν, ἐγένετο σπουδὴ τοῦ πλοῦ τοιαύτη ὥστε 5
ἤσθιόν τε ἅμα ἐλαύνοντες οἴνῳ καὶ ἐλαίῳ ἄλφιτα πεφυραμένα, καὶ
οἱ μὲν ὕπνον ᾑροῦντο κατὰ μέρος, οἱ δὲ ἤλαυνον. κατὰ τύχην
δὲ πνεύματος οὐδενὸς ἐναντιωθέντος καὶ τῆς μὲν προτέρας νεὼς
οὐ σπουδῇ πλεούσης ἐπὶ πρᾶγμα ἀλλόκοτον, ταύτης δὲ τοιούτῳ
τρόπῳ ἐπειγομένης, ἡ μὲν ἔφθασε τοσοῦτον ὅσον Πάχητα 10
ἀνεγνωκέναι τὸ ψήφισμα καὶ μέλλειν δράσειν τὰ δεδογμένα, ἡ
δ᾽ ὑστέρα αὐτῆς ἐπικατάγεται καὶ διεκώλυσε μὴ διαφθεῖραι.
παρὰ τοσοῦτον μὲν ἡ Μυτιλήνη ἦλθε κινδύνου.

THUCYDIDES

84-5

DEMOSTHENES, son of Alcisthenes (not to be confused with the
fourth-century orator of the same name), was one of the most capable
generals in the Peloponnesian War; in the campaign described
here he established his reputation. In 426 B.C. he was sent with a fleet
to look after Athenian interests in north-west Greece. He conceived
an ambitious plan for invading Aetolia but it was unsuccessful. The
Aetolians appealed to the Spartans for help, and in September of
that year an army of three thousand Peloponnesian hoplites under
Eurylochus arrived in the area. Their arrival encouraged the people
of Ambracia to join up with the Spartans and conquer Acarnania and

Amphilochia; they were to advance southward while Eurylochus moved up to meet them. Demosthenes responded to a plea for help from the Acarnanians and defeated the combined Spartan and Ambraciot forces in a decisive battle; Eurylochus was killed. Before this battle, the Ambraciots had sent back a message to their own city urging them to send extra soldiers. These, unaware of the defeat of their fellow citizens, continued their journey and arrived at the city of Idomene in Amphilochia. After the engagement described here, Demosthenes returned to Athens in triumph.

84

Demosthenes makes good use of the Doric dialect

οἱ δ' ἐκ τῆς πόλεως Ἀμπρακιῶται ἀφικνοῦνται ἐπ' Ἰδομενήν.
ἐστὸν δὲ δύο λόφω ἡ Ἰδομενὴ ὑψηλώ· τούτοιν τὸν μὲν μείζω
νυκτὸς ἐπιγενομένης οἱ προαποσταλέντες ὑπὸ τοῦ Δημοσθένους
ἀπὸ τοῦ στρατοπέδου ἔλαθόν τε καὶ ἔφθασαν προκαταλαβόντες
5 (τὸν δ' ἐλάσσω ἔτυχον οἱ Ἀμπρακιῶται προαναβάντες) καὶ
ηὐλίσαντο· ὁ δὲ Δημοσθένης δειπνήσας ἐχώρει καὶ τὸ ἄλλο
στράτευμα, αὐτὸς μὲν τὸ ἥμισυ ἔχων ἐπὶ τῆς ἐσβολῆς, τὸ δ' ἄλλο
διὰ τῶν Ἀμφιλοχικῶν ὀρῶν. καὶ ἅμα ὄρθρῳ ἐπιπίπτει τοῖς
Ἀμπρακιώταις ἔτι ἐν ταῖς εὐναῖς καὶ οὐ προῃσθημένοις τὰ
10 γεγενημένα, ἀλλὰ πολὺ μᾶλλον ξυμμάχους νομίσασιν ἑαυτῶν
εἶναι· καὶ γὰρ τοὺς Μεσσηνίους πρώτους ἐπιτηδὲς ὁ Δημοσθέ-
νης προύταξε καὶ προσαγορεύειν ἐκέλευε, Δωρίδα τε γλῶσσαν
ἱέντας καὶ τοῖς προφύλαξι πίστιν παρεχομένους, ἅμα δὲ καὶ οὐ
καθορωμένους τῇ ὄψει νυκτὸς ἔτι οὔσης.

THUCYDIDES

85

Athenian ways preferred

ὡς οὖν ἐπέπεσον οἱ τοῦ Δημοσθένους τῷ στρατεύματι αὐτῶν,
τρέπουσι καὶ τοὺς μὲν πολλοὺς αὐτοῦ διέφθειραν, οἱ δὲ λοιποὶ

κατὰ τὰ ὄρη ἐς φυγὴν ὥρμησαν. προκατειλημμένων δὲ τῶν ὁδῶν,
καὶ ἅμα τῶν μὲν Ἀμφιλόχων ἐμπείρων ὄντων τῆς ἑαυτῶν γῆς
καὶ ψιλῶν πρὸς ὁπλίτας, τῶν δὲ ἀπείρων καὶ ἀνεπιστημόνων 5
ὅπῃ τραπῶνται, ἐσπίπτοντες ἔς τε χαράδρας καὶ τὰς προλελο-
χισμένας ἐνέδρας διεφθείροντο· καὶ ἐς πᾶσαν ἰδέαν χωρήσαντες
τῆς φυγῆς ἐτράποντό τινες καὶ ἐς τὴν θάλασσαν οὐ πολὺ ἀπέχου-
σαν, καὶ ὡς εἶδον τὰς Ἀττικὰς ναῦς παραπλεούσας ἅμα τοῦ
ἔργου τῇ συντυχίᾳ, προσένευσαν, ἡγησάμενοι ἐν τῷ αὐτίκα φόβῳ 10
κρεῖσσον εἶναι σφίσιν ὑπὸ τῶν ἐν ταῖς ναυσίν, εἰ δεῖ, διαφθαρῆναι,
ἢ ὑπὸ τῶν βαρβάρων καὶ ἐχθίστων Ἀμφιλόχων. οἱ μὲν οὖν
Ἀμπρακιῶται τοιούτῳ τρόπῳ κακωθέντες ὀλίγοι ἀπὸ πολλῶν
ἐσώθησαν ἐς τὴν πόλιν.

THUCYDIDES

86

THE incident described in this passage took place in 426 B.C. Delos
is a tiny island in the centre of the group of Aegean islands known as
the Cyclades; it lies between two larger islands, known today as
Rinia and Mykonos. Delos was the legendary birthplace of Apollo
and Artemis, and was sacred to Apollo. When the confederacy of
Greek maritime states was being formed after the Persian Wars, Delos
was the natural choice as the place for the central treasury.

86

The purification of Delos

τοῦ δ' αὐτοῦ χειμῶνος καὶ Δῆλον ἐκάθηραν Ἀθηναῖοι κατὰ
χρησμὸν δή τινα. ἐκάθηρε μὲν γὰρ καὶ Πεισίστρατος ὁ τύραννος
πρότερον αὐτήν, οὐχ ἅπασαν, ἀλλ' ὅσον ἀπὸ τοῦ ἱεροῦ ἐφεωρᾶτο
τῆς νήσου· τότε δὲ πᾶσα ἐκαθάρθη τοιῷδε τρόπῳ. θήκας ὅσαι
ἦσαν τῶν τεθνεώτων ἐν Δήλῳ πάσας ἀνεῖλον, καὶ τὸ λοιπὸν 5
προεῖπον μήτε ἐναποθνῄσκειν ἐν τῇ νήσῳ μήτε ἐντίκτειν, ἀλλ'
ἐς τὴν Ῥήνειαν διακομίζεσθαι. ἀπέχει δὲ ἡ Ῥήνεια τῆς Δήλου
οὕτως ὀλίγον ὥστε Πολυκράτης ὁ Σαμίων τύραννος ἰσχύσας

τινὰ χρόνον ναυτικῷ καὶ τῶν τε ἄλλων νήσων ἄρξας καὶ τὴν
10 Ῥήνειαν ἑλὼν ἀνέθηκε τῷ Ἀπόλλωνι τῷ Δηλίῳ ἁλύσει δήσας
πρὸς τὴν Δῆλον. καὶ τὴν πεντετηρίδα τότε πρῶτον μετὰ τὴν
κάθαρσιν ἐποίησαν οἱ Ἀθηναῖοι τὰ Δήλια· ἦν δέ ποτε καὶ τὸ
πάλαι μεγάλη ξύνοδος ἐς τὴν Δῆλον τῶν Ἰώνων τε καὶ περι-
κτιόνων νησιωτῶν· ξύν τε γὰρ γυναιξὶ καὶ παισὶν ἐθεώρουν, καὶ
15 ἀγὼν ἐποιεῖτο αὐτόθι, καὶ γυμνικὸς καὶ μουσικός, χορούς τε ἀνῆγον
αἱ πόλεις.

THUCYDIDES

87

ALCIBIADES (450–404 B.C.) was an able politician and seemed to
have a very brilliant future before him as a young man. He strongly
supported the great expedition launched against Sicily by Athens in
415 B.C. and shared the command of it with Nicias and Lamachus.
He was, however, recalled from the operations because it was suspected
that he had been involved in the mutilation of the Hermae and the
profanation of the Mysteries (see p. 83), but he escaped to Sparta.
Later on in the war he again served with the Athenians, and in 410
won a brilliant victory at Cyzicus. He returned to Athens in 407,
but soon his enemies aroused popular suspicion against him and he
was forced to flee. He took refuge in a castle on the Gallipoli penin-
sula; it was very near this spot, at Aegospotami, that the final disas-
trous battle of the war took place, when the Spartan admiral Lysander
destroyed the Athenian fleet on the shore. Alcibiades came down from
his castle and urged the Athenian generals to leave such an un-
favourable position, but they took no heed; Alcibiades then took
refuge with Pharnabazus, the satrap of Phrygia. Lysander considered
him too dangerous a man to be allowed to live, and he persuaded
Pharnabazus to arrange for his death. The death scene has a dramatic
quality quite in keeping with the character of this brilliant and
egoistical figure.

87

The assassins keep their distance

οἱ δὲ πεμφθέντες πρὸς αὐτὸν οὐκ ἐτόλμησαν εἰσελθεῖν, ἀλλὰ
κύκλῳ τὴν οἰκίαν περιστάντες, ἐνεπίμπρασαν. αἰσθόμενος δὲ ὁ

Ἀλκιβιάδης, τῶν μὲν ἱματίων τὰ πλεῖστα καὶ τῶν στρωμάτων
συναγαγών, ἐπέρριψε τῷ πυρί· τῇ δ' ἀριστερᾷ χειρὶ τὴν ἑαυτοῦ
χλαμύδα περιελίξας, τῇ δὲ δεξιᾷ σπασάμενος τὸ ἐγχειρίδιον, 5
ἐξέπεσεν ἀπαθὴς ὑπὸ τοῦ πυρὸς πρὶν ἢ διαφλέγεσθαι τὰ ἱμάτια,
καὶ ὀφθεὶς τοὺς βαρβάρους διεσκέδασεν. οὐδεὶς γὰρ ὑπέμεινεν
αὐτόν, οὐδ' εἰς χεῖρας συνῆλθεν, ἀλλ' ἀποστάντες ἔβαλλον
ἀκοντίοις καὶ τοξεύμασιν. οὕτω δ' αὐτοῦ πεσόντος, καὶ τῶν
βαρβάρων ἀπελθόντων, ἡ Τιμάνδρα τὸν νεκρὸν ἀνείλετο, καὶ τοῖς 10
αὐτῆς περιβαλοῦσα καὶ περικαλύψασα χιτωνίσκοις, ἐκ τῶν
παρόντων ἐκήδευσε λαμπρῶς καὶ φιλοτίμως.

PLUTARCH

88–95

ANDOCIDES (born c. 440 B.C.) was involved in one of the more
curious episodes of the Peloponnesian War. On the eve of the sailing
of the great Athenian expedition to Sicily (415 B.C.) the Hermae,
which were formalized statues of Hermes standing in front of the
doors of many houses in Athens, were mutilated. This was a serious
sacrilege, and the hue and cry that followed resulted, among other
things, in the discrediting of Alcibiades for profaning the Mysteries
of Eleusis. Andocides was arrested with a number of his relations
for complicity in the outrage, but turned 'king's evidence' to save
the innocent—and himself! The speech from which the following
passages are drawn was delivered later (in 399), and in it Andocides
describes and attempts to justify his actions at the time of the scandal.

88

How Pythonicus alleged that the Mysteries
had been revealed to the uninitiated

ἦν μὲν γὰρ ἐκκλησία τοῖς στρατηγοῖς τοῖς εἰς Σικελίαν, Νικίᾳ καὶ
Λαμάχῳ καὶ Ἀλκιβιάδῃ, καὶ τριήρης ἡ στρατηγὶς ἤδη ἐξώρμει
ἡ Λαμάχου· ἀναστὰς δὲ Πυθόνικος ἐν τῷ δήμῳ εἶπεν· "Ὦ

Ἀθηναῖοι, ὑμεῖς μὲν στρατιὰν ἐκπέμπετε καὶ παρασκευὴν
5 τοσαύτην, καὶ κίνδυνον ἀρεῖσθαι μέλλετε· Ἀλκιβιάδην δὲ τὸν
στρατηγὸν ἀποδείξω ὑμῖν τὰ μυστήρια ποιοῦντα ἐν οἰκίᾳ μεθ'
ἑτέρων, καὶ ἐὰν ψηφίσησθε ἄδειαν ᾧ ἐγὼ κελεύω, θεράπων ὑμῖν
ἑνὸς τῶν ἐνθάδε ἀνδρῶν ἀμύητος ὢν ἐρεῖ τὰ μυστήρια· εἰ δὲ μή,
χρῆσθε ἐμοὶ ὅτι ἂν ὑμῖν δοκῇ, ἐὰν μὴ τἀληθῆ λέγω." ἀντιλέγοντος
10 δὲ Ἀλκιβιάδου πολλὰ καὶ ἀπαρνοῦντος, ἔδοξε τοῖς πρυτάνεσι
τοὺς μὲν ἀμυήτους μεταστήσασθαι αὐτοὺς δ' ἰέναι ἐπὶ τὸ
μειράκιον ὃ ὁ Πυθόνικος ἐκέλευε, θεράποντα Ἀλκιβιάδου ὄντα.
ἐπεὶ δὲ ἐψηφίσαντο αὐτῷ τὴν ἄδειαν, ἔλεγεν ὅτι ἐν τῇ οἰκίᾳ
τῇ Πουλυτίωνος γίγνοιτο μυστήρια.

ANDOCIDES

89

Andocides challenges anyone to refute his statement

Αἱ μὲν μηνύσεις ὧδε περὶ τῶν μυστηρίων αὗται ἐγένοντο
τέτταρες· οἳ δὲ ἔφυγον καθ' ἑκάστην μήνυσιν, ἀνέγνων ὑμῖν τὰ
ὀνόματα αὐτῶν, καὶ οἱ μάρτυρες μεμαρτυρήκασιν. ἔτι δὲ πρὸς
τούτοις ἐγώ, πιστότητος ὑμῶν ἕνεκα, ὦ ἄνδρες, τάδε ποιήσω.
5 τῶν γὰρ φυγόντων ἐπὶ τοῖς μυστηρίοις οἱ μέν τινες ἀπέθανον
φεύγοντες, οἱ δ' ἥκουσιν καί εἰσιν ἐνθάδε, καὶ πάρεισιν ὑπ' ἐμοῦ
κεκλημένοι. ἐγὼ οὖν ἐν τῷ ἐμῷ λόγῳ δίδωμι τῷ βουλομένῳ
ἐμὲ ἐξελέγξαι ὅτι ἔφυγέ τις αὐτῶν δι' ἐμὲ ἢ ἐμήνυσα κατ' αὐτοῦ,
ἢ οὐχ ἕκαστοι ἔφυγον κατὰ τὰς μηνύσεις ταύτας ἃς ἐγὼ ὑμῖν
10 ἀπέδειξα. καὶ ἐάν τις ἐλέγξῃ με ὅτι ψεύδομαι, χρήσασθέ μοι
ὅ τι βούλεσθε. καὶ σιωπῶ, εἴ τις ἀναβαίνειν βούλεται.

ANDOCIDES

90

An incident during the prevailing atmosphere of suspicion after the mutilation of the Hermae; Andocides describes how he was approached by a blackmailer who later gave evidence against his father

ἥκων δὲ ἐκεῖνος εἰς ἄστυ καὶ ἰδὼν Εὔφημον τὸν Καλλίου ἐν τῷ
χαλκείῳ καθήμενον, ἀναγαγὼν αὐτὸν εἰς τὸ Ἡφαιστεῖον εἶπεν
ἅπερ ὑμῖν ἐγὼ εἴρηκα, ὡς ἴδοι ἡμᾶς ἐν ἐκείνῃ τῇ νυκτί· ἀλλ' οὐ
δέοιτο παρὰ τῆς πόλεως χρήματα λαβεῖν μᾶλλον ἢ παρ' ἡμῶν,
ὥσθ' ἡμᾶς ἔχειν φίλους. εἶπεν οὖν ὁ Εὔφημος ὅτι καλῶς ποιεῖ 5
εἰπών, καὶ νῦν ἥκειν κελεύει εἰς τὴν Λεωγόρου οἰκίαν, "ἵν' ἐκεῖ
συγγένῃ μετ' ἐμοῦ Ἀνδοκίδῃ καὶ ἑτέροις οἷς δεῖ". ἥκειν ἔφη τῇ
ὑστεραίᾳ, καὶ δὴ κόπτειν τὴν θύραν· τὸν δὲ πατέρα τὸν ἐμὸν
τυχεῖν ἐξιόντα, καὶ εἰπεῖν αὐτόν " Ἆρά γε σὲ οἶδε περιμένουσι;
χρὴ μέντοι μὴ ἀπωθεῖσθαι τοιούτους φίλους." εἰπόντα δὲ αὐτὸν 10
ταῦτα οἴχεσθαι. καὶ τούτῳ μὲν τῷ τρόπῳ τὸν πατέρα μου
ἀπώλλυε, συνειδότα ἀποφαίνων.

ANDOCIDES

91

Further allegations made by the blackmailer

ἔφη δ' ἐκεῖνος ἡμᾶς εἰπεῖν ὅτι δεδογμένον ἡμῖν εἴη δύο μὲν
τάλαντα ἀργυρίου διδόναι αὐτῷ ἀντὶ τῶν ἑκατὸν μνῶν τῶν ἐκ τοῦ
δημοσίου, ἐὰν δὲ κατάσχωμεν ἡμεῖς ἃ βουλόμεθα, ἕνα αὐτὸν ἡμῶν
εἶναι, πίστιν δὲ τούτων δοῦναί τε καὶ δέξασθαι. ἀποκρίνασθαι
δὲ αὐτὸς πρὸς ταῦτα ὅτι βουλεύσοιτο· ἡμᾶς δὲ κελεύειν αὐτὸν 5

ἥκειν εἰς Καλλίου τοῦ Τηλοκλέους, ἵνα κἀκεῖνος παρείη. τὸν
δ᾽ αὖ κηδεστήν μου οὕτως ἀπώλλυεν. ἥκειν ἔφη εἰς Καλλίου,
καὶ καθομολογήσας ἡμῖν πίστιν δοῦναι ἐν ἀκροπόλει, καὶ ἡμᾶς
συνθεμένους αὐτῷ τὸ ἀργύριον εἰς τὸν εἰσιόντα μῆνα δώσειν
10 διαψεύδεσθαι καὶ οὐ διδόναι· ἥκειν οὖν μηνύσων τὰ γενόμενα.
ἡ μὲν εἰσαγγελία αὐτῷ, ὦ ἄνδρες, τοιαύτη· ἀπογράφει δὲ τὰ
ὀνόματα τῶν ἀνδρῶν ὧν ἔφη γνῶναι, δύο καὶ τετταράκοντα,
πρώτους μὲν Μαντίθεον καὶ Ἀψεφίωνα, βουλευτὰς ὄντας καὶ
καθημένους ἔνδον, εἶτα δὲ καὶ τοὺς ἄλλους.

ANDOCIDES

92

How Charmides urged Andocides to turn 'king's evidence'

ἐπειδὴ δ᾽ ἐδεδέμεθα πάντες ἐν τῷ αὐτῷ καὶ νύξ τε ἦν καὶ τὸ
δεσμωτήριον συνεκέκλητο, ἧκον δὲ τῷ μὲν μήτηρ, τῷ δὲ ἀδελφή,
τῷ δὲ γυνὴ καὶ παῖδες, ἦν δὲ βοὴ καὶ οἶκτος κλαιόντων καὶ
ὀδυρομένων τὰ παρόντα κακά, λέγει πρός με Χαρμίδης ὅτι
5 "Ἀνδοκίδη, τῶν μὲν παρόντων κακῶν ὁρᾷς τὸ μέγεθος, ἐγὼ δ᾽
ἐν μὲν τῷ παρελθόντι χρόνῳ οὐδὲν ἐδεόμην λέγειν οὐδέ σε λυπεῖν,
νῦν δὲ ἀναγκάζομαι διὰ τὴν παροῦσαν ἡμῖν συμφοράν. οἷς γὰρ
ἐχρῶ καὶ οἷς συνῆσθα ἄνευ ἡμῶν τῶν συγγενῶν, οὗτοι ἐπὶ ταῖς
αἰτίαις δι᾽ ἃς ἡμεῖς ἀπολλύμεθα οἱ μὲν αὐτῶν τεθνᾶσιν οἱ δὲ
10 οἴχονται φεύγοντες, σφῶν αὐτῶν καταγνόντες ἀδικεῖν. . . . εἰ
ἤκουσάς τι τούτου τοῦ πράγματος τοῦ γενομένου, εἰπέ, καὶ
πρῶτον μὲν σεαυτὸν σῶσον, εἶτα δὲ τὸν πατέρα, ὃν εἰκός ἐστί
σε μάλιστα φιλεῖν, εἶτα δὲ τὸν κηδεστήν, ὃς ἔχει σου τὴν ἀδελφήν,
ἔπειτα δὲ τοὺς ἄλλους συγγενεῖς, ἔτι δὲ ἐμέ."

ANDOCIDES

9 3

How Andocides realized the advantages of acting upon Charmides' advice

λέγοντος δέ, ὦ ἄνδρες, Χαρμίδου ταῦτα, ἐνεθυμήθην πρὸς
ἐμαυτόν· " Ὦ πάντων ἐγὼ δεινοτάτῃ συμφορᾷ περιπεσών,
πότερα περιίδω τοὺς ἐμαυτοῦ συγγενεῖς ἀπολλυμένους ἀδίκως,
καὶ αὐτούς τε ἀποθανόντας καὶ τὰ χρήματα αὐτῶν δημευθέντα,
ἔτι δὲ τριακοσίους Ἀθηναίων μέλλοντας ἀδίκως ἀπολέσθαι, τὴν 5
δὲ πόλιν ἐν κακοῖς οὖσαν τοῖς μεγίστοις καὶ τοὺς πολίτας
ὑποψίαν εἰς ἀλλήλους ἔχοντας, ἢ εἴπω Ἀθηναίοις ἅπερ ἤκουσα
Εὐφιλήτου αὐτοῦ τοῦ ποιήσαντος;" ἔτι δὲ ἐπὶ τούτοις καὶ
τόδε ἐνεθυμήθην, ὦ ἄνδρες, καὶ ἐλογιζόμην πρὸς ἐμαυτὸν τοὺς
ἐξημαρτηκότας καὶ τὸ ἔργον εἰργασμένους, ὅτι οἱ μὲν αὐτῶν 10
ἤδη ἐτεθνήκεσαν ὑπὸ Τεύκρου μηνυθέντες οἱ δὲ φεύγοντες ᾤχοντο
καὶ αὐτῶν θάνατος κατέγνωστο, τέτταρες δὲ ἦσαν ὑπόλοιποι
τῶν πεποιηκότων οἳ οὐκ ἐμηνύθησαν ὑπὸ Τεύκρου, Παναίτιος,
Χαιρέδημος, Διάκριτος, Λυσίστρατος· καὶ τοῖς μὲν οὐδέπω
βέβαιος ἦν ἡ σωτηρία, τοῖς δὲ ἐμοῖς οἰκείοις φανερὸς ὁ ὄλεθρος, 15
εἰ μή τις ἐρεῖ Ἀθηναίοις τὰ γενόμενα.

ANDOCIDES

9 4

How Andocides saved his father and his relations

Διοκλείδης μὲν γὰρ ψευσάμενος ἔδησεν αὐτούς, σωτηρία δὲ αὐτῶν
ἄλλη οὐδεμία ἦν ἢ πυθέσθαι Ἀθηναίους πάντα τὰ πραχθέντα·
φονεὺς οὖν αὐτῶν ἐγιγνόμην ἐγὼ μὴ εἰπὼν ὑμῖν ἃ ἤκουσα.
ἔτι δὲ τριακοσίους Ἀθηναίων ἀπώλλυον, καὶ ἡ πόλις ἐν κακοῖς
τοῖς μεγίστοις ἐγίγνετο· ταῦτα μὲν οὖν ἦν ἐμοῦ μὴ εἰπόντος. 5
εἰπὼν δὲ τὰ ὄντα αὐτός τε ἐσῳζόμην καὶ τὸν πατέρα ἔσῳζον

καὶ τοὺς ἄλλους συγγενεῖς, καὶ τὴν πόλιν ἐκ φόβου καὶ κακῶν
τῶν μεγίστων ἀπήλλαττον· φυγάδες δὲ δι' ἐμὲ τέτταρες ἄνδρες
ἐγίγνοντο, οἵπερ καὶ ἥμαρτον· τῶν δ' ἄλλων, οἳ πρότερον ὑπὸ
10 Τεύκρου ἐμηνύθησαν, οὔτε δήπου οἱ τεθνεῶτες δι' ἐμὲ μᾶλλον
ἐτέθνασαν οὔτε οἱ φεύγοντες μᾶλλον ἔφευγον. ταῦτα δὲ πάντα
σκοπῶν εὕρισκον, ὦ ἄνδρες, τῶν παρόντων κακῶν ταῦτα ἐλάχιστα
εἶναι, εἰπεῖν τὰ γενόμενα ὡς τάχιστα καὶ ἐλέγξαι Διοκλείδην
ψευσάμενον.

ANDOCIDES

95

What happened after Andocides had
informed against Diocleides

ἥ τε βουλὴ καὶ οἱ ζητηταί, ἐπειδὴ ἦν ᾗ ἐγὼ ἔλεγον καὶ ὡμο-
λογεῖτο πανταχόθεν, τότε δὴ καλοῦσι τὸν Διοκλείδην· καὶ οὐ
πολλῶν λόγων ἐδέησεν, ἀλλ' εὐθὺς ὡμολόγει ψεύδεσθαι, καὶ
ἐδεῖτο σῴζεσθαι φράσας τοὺς πείσαντας αὐτὸν λέγειν ταῦτα·
5 εἶναι δὲ Ἀλκιβιάδην τὸν Φηγούσιον καὶ Ἀμίαντον τὸν ἐξ Αἰγίνης.
καὶ οὗτοι μὲν δείσαντες ᾤχοντο φεύγοντες· ὑμεῖς δὲ ἀκούσαντες
ταῦτα Διοκλείδην μὲν τῷ δικαστηρίῳ παραδόντες ἀπεκτείνατε,
τοὺς δὲ δεδεμένους καὶ μέλλοντας ἀπολεῖσθαι ἐλύσατε, τοὺς
ἐμοὺς συγγενεῖς, δι' ἐμέ, καὶ τοὺς φεύγοντας κατεδέξασθε,
10 αὐτοὶ δὲ λαβόντες τὰ ὅπλα ἀπῆτε πολλῶν κακῶν καὶ κινδύνων
ἀπαλλαγέντες.

ANDOCIDES

96–100

THE speech from which the following excerpts are drawn has sur-
vived among the works of Lysias, but is almost certainly not by him.
It takes the form of a speech in accusation of Andocides at his trial
for impiety in 399 B.C., but is in all probability a pamphlet composed
by one of his enemies after hearing or reading his defence, the speech
'On the Mysteries', from which the preceding sequence of excerpts
has been drawn. It is worth noting in passing that even genuine

speeches which we have have been 'improved' after the actual event for publication. Speeches such as the present one were often composed in the ancient world either as political attacks or even as abstract rhetorical exercises. Andocides' speech secured his acquittal, but the present speech, whatever its source, is interesting as presenting the other side of the case.

96

The remarkable lack of respect shown by Andocides to gods and men

νῦν οὖν ὑμῖν ἐν ἀνάγκῃ ἐστὶ βουλεύσασθαι περὶ αὐτοῦ· εὖ γὰρ ἐπίστασθε, ὦ ἄνδρες Ἀθηναῖοι, ὅτι οὐχ οἷόν τε ὑμῖν ἐστιν ἅμα τοῖς τε νόμοις τοῖς πατρίοις καὶ Ἀνδοκίδῃ χρῆσθαι, ἀλλὰ δυοῖν θάτερον, ἢ τοὺς νόμους ἐξαλειπτέον ἐστὶν ἢ ἀπαλλακτέον τοῦ ἀνδρός. εἰς τοσοῦτον δὲ τόλμης ἀφῖκται ὥστε καὶ λέγει περὶ 5 τοῦ νόμου ὡς καθῄρηται ὁ περὶ αὐτοῦ κείμενος καὶ ἔξεστιν αὐτῷ ἤδη εἰσιέναι εἰς τὴν ἀγορὰν καὶ εἰς τὰ ἱερά. καίτοι Περικλέα ποτέ φασι παραινέσαι ὑμῖν περὶ τῶν ἀσεβούντων, μὴ μόνον χρῆσθαι τοῖς γεγραμμένοις νόμοις περὶ αὐτῶν, ἀλλὰ καὶ τοῖς ἀγράφοις, καθ' οὓς Εὐμολπίδαι ἐξηγοῦνται, οὓς οὐδείς πω κύριος 10 ἐγένετο καθελεῖν οὐδὲ ἐτόλμησεν ἀντειπεῖν, οὐδὲ αὐτὸν τὸν θέντα ἴσασιν. ἡγεῖσθαι γὰρ ἂν αὐτοὺς οὕτως οὐ μόνον τοῖς ἀνθρώποις ἀλλὰ καὶ τοῖς θεοῖς διδόναι δίκην. Ἀνδοκίδης δὲ τοσοῦτον καταπεφρόνηκε τῶν θεῶν ὥστε πρὶν ἢ ἐπιδεδημηκέναι δέκα ἡμέρας ἐν τῇ πόλει προσεκαλέσατο δίκην ἀσεβείας. 15

PS.-LYSIAS

97

Further development of the theme of the impiety of Andocides

οὔκουν χρὴ μὰ τὸν Δία οὔτε πρεσβύτερον οὔτε νεώτερον ὁρῶντας Ἀνδοκίδην ἐκ τῶν κινδύνων σῳζόμενον, εἰδότας αὐτὸν ἔργα

ἀνόσια εἰργασμένον, ἀθεωτέρους γίγνεσθαι. εἰς τοσοῦτον δὲ
ἀναισχυντίας ἀφῖκται ὥστε καὶ παρασκευάζεται τὰ πολιτικὰ
5 πράττειν καὶ ἤδη δημηγορεῖ καὶ κατηγορεῖ τῶν ἀρχόντων
τινῶν. καὶ συμβουλεύει τὴν βουλὴν εἰσιὼν περὶ θυσιῶν
καὶ εὐχῶν καὶ μαντειῶν. καίτοι τούτῳ πειθόμενοι ποίοις θεοῖς
ἡγήσεσθε ἀρέσκοντα ποιεῖν; μὴ γὰρ οἴεσθε, ὦ ἄνδρες δικασταί,
εἰ ὑμεῖς βούλεσθε τὰ τούτῳ πεποιημένα ἐπιλαθέσθαι, καὶ τοὺς
10 θεοὺς ἐπιλήσεσθαι. ἀξιοῖ δὲ οὐχ ὡς ἠδικηκὼς ἡσυχίαν ἔχων
πολιτεύεσθαι, ἀλλ᾽ ὥσπερ αὐτὸς ἐξευρὼν τοὺς τὴν πόλιν ἀδική-
σαντας, οὕτω διανοεῖται καὶ παρασκευάζεται ὅπως ἑτέρων μεῖζον
δυνήσεται, ὥσπερ οὐ διὰ πραότητα τὴν ὑμετέραν οὐ δεδωκὼς
ὑμῖν δίκην, εἰς οὓς νῦν ἁμαρτάνων οὐ λανθάνει, ἀλλ᾽ ἅμα
15 ἐξελεγχθήσεταί τε καὶ δώσει δίκην.

PS.-LYSIAS

98

Violent indignation

ἰσχυριεῖται δὲ καὶ τούτῳ τῷ λόγῳ (ἀναγκαίως γὰρ ἔχει ὑμᾶς
διδάσκειν ἃ οὗτος ἀπολογήσεται, ἵν᾽ ἀκούσαντες παρ᾽ ἀμφοτέρων
ἄμεινον διαγνῶτε). φησὶ γὰρ ἀγαθὰ μεγάλα ποιῆσαι τὴν πόλιν
μηνύσας καὶ ἀπαλλάξας φόβου καὶ ταραχῆς τῆς τότε. τίς δὲ τῶν
5 μεγάλων κακῶν αἴτιος ἐγένετο; οὐκ αὐτὸς οὗτος, ποιήσας ἃ
ἐποίησεν; εἶτα τῶν μὲν ἀγαθῶν δεῖ τούτῳ χάριν εἰδέναι, ὅτι
ἐμήνυσε, μισθὸν ὑμῶν αὐτῷ διδόντων τὴν ἄδειαν, τῆς δὲ ταραχῆς
καὶ τῶν κακῶν ὑμεῖς αἴτιοί ἐστε, ὅτι ἐζητεῖτε τοὺς ἠσεβηκότας;
οὐ δήπουθεν, ἀλλὰ τοὐναντίον ἐτάραξε μὲν οὗτος τὴν πόλιν,
10 κατεστήσατε δ᾽ ὑμεῖς. πυνθάνομαι δ᾽ αὐτὸν μέλλειν ἀπολογή-
σεσθαι ὡς αἱ συνθῆκαι καὶ αὐτῷ εἰσι, καθάπερ καὶ τοῖς ἄλλοις
Ἀθηναίοις· καὶ οὕτως οἴεται πολλοὺς ὑμῶν, δεδιότας μὴ λύσητε
τὰς συνθήκας, αὐτοῦ ἀποψηφιεῖσθαι. ἀλλ᾽ οὐδενὶ ἡμῶν τὰ αὐτὰ
ἁμαρτήματα οὐδ᾽ ὅμοια ἦν τοῖς Ἀνδοκίδου.

PS.-LYSIAS

99

Andocides cannot claim acquittal even on the grounds of past services to the State

φέρε δή, εἰς τί σκεψαμένους χρὴ ὑμᾶς Ἀνδοκίδου ἀποψηφίσασθαι;
πότερον ὡς στρατιώτης ἀγαθός; ἀλλ' οὐδεπώποτ' ἐκ τῆς πόλεως
ἐστρατεύσατο, οὔτε ἱππεὺς οὔτε ὁπλίτης, οὔτε τριήραρχος οὔτε
ἐπιβάτης, οὔτε πρὸ τῆς συμφορᾶς οὔτε μετὰ τὴν συμφοράν,
πλέον ἢ τετταράκοντα ἔτη γεγονώς. καίτοι ἕτεροι φεύγοντες ἐν 5
Ἑλλησπόντῳ συνετριηράρχουν ὑμῖν. ἀναμνήσθητε δὲ καὶ αὐτοὶ
ἐξ ὅσων κακῶν καὶ πολέμου ὑμᾶς αὐτοὺς ἐσώσατε καὶ τὴν πόλιν,
πολλὰ μὲν τοῖς σώμασι πονήσαντες, πολλὰ δὲ ἀναλώσαντες χρή-
ματα καὶ ἰδίᾳ καὶ δημοσίᾳ, πολλοὺς δὲ καὶ ἀγαθοὺς τῶν πολιτῶν
θάψαντες διὰ τὸν πόλεμον. Ἀνδοκίδης δὲ ἀπαθὴς τούτων τῶν 10
κακῶν γενόμενος ἀξιοῖ νῦν μετέχειν τῆς πόλεως. ἀλλὰ καίπερ
πλουτῶν δὴ καὶ ἐπιστάμενος ἐν πολλῷ κινδύνῳ τὴν πόλιν γενο-
μένην, οὐκ ἐτόλμησε σῖτον εἰσάγων ὠφελῆσαι τὴν πατρίδα.
ἀλλὰ μέτοικοι καὶ ξένοι ὠφέλουν τὴν πόλιν εἰσάγοντες.

PS.-LYSIAS

100

Final appeal to the jury

βούλομαι τοίνυν εἰπεῖν ἃ Διοκλῆς ὁ Ζακόρου τοῦ ἱεροφάντου,
πάππος δὲ ἡμέτερος, συνεβούλευσε βουλευομένοις ὑμῖν ὅπως
δεῖ χρῆσθαι Μεγαρεῖ ἀνδρὶ ἠσεβηκότι. κελευόντων γὰρ ἑτέρων
ἄκριτον παραχρῆμα ἀποκτεῖναι, παρήνεσε κρῖναι τῶν ἀνθρώπων
ἕνεκα, ἵνα ἀκούσαντες καὶ ἰδόντες σωφρονέστεροι οἱ ἄλλοι ὦσι, 5
τῶν δὲ θεῶν ἕνεκα ἐκέλευσεν ἕκαστον αὐτὸν παρ' ἑαυτῷ κεκρι-
κότα ἃ δεῖ τὸν ἀσεβοῦντα παθεῖν εἰς τὸ δικαστήριον εἰσιέναι. καὶ
ὑμεῖς, ὦ ἄνδρες Ἀθηναῖοι (ἐπίστασθε γὰρ ἃ δεῖ ποιῆσαι), μὴ
πείσθητε ὑπὸ τούτου. φανερῶς ἔχετε αὐτὸν ἀσεβοῦντα· εἴδετε,

10 ἠκούσατε τὰ τούτου ἁμαρτήματα. ἱκετεύσει ὑμᾶς· μὴ ἐλεεῖτε.
οὐ γὰρ οἱ δικαίως ἀποθνῄσκοντες ἀλλ' οἱ ἀδίκως ἄξιοί εἰσιν
ἐλεεῖσθαι.

PS.-LYSIAS

101–2

PLATAEA was a town in Boeotia, but because of its geographical
position and its hostility towards Thebes was a staunch ally of
Athens from the late sixth century B.C. onwards. It was besieged
by the Spartans and the Thebans from 429 to 427. (See the note on
Section I § 27.)

At the beginning of his history, Thucydides says of the speeches
he uses, '. . . my habit has been to make the speakers say what was
in my opinion demanded of them by the various occasions, adhering
as closely as possible to the general sense of what they really said'.
These two passages contain the speeches, as given by Thucydides,
of the Plataeans and of the Spartans on the occasion in 429 B.C.
when Archidamus was encamped with a Peloponnesian army around
the city, ready to besiege it.

101

A claim for independence

τοῦ δ' ἐπιγιγνομένου θέρους οἱ Πελοποννήσιοι καὶ οἱ ξύμμαχοι
ἐστράτευσαν ἐπὶ Πλάταιαν· ἡγεῖτο δὲ Ἀρχίδαμος ὁ Λακεδαι-
μονίων βασιλεύς. οἱ δὲ Πλαταιῆς εὐθὺς πρέσβεις πέμψαντες
πρὸς αὐτὸν ἔλεγον τάδε· "Ἀρχίδαμε καὶ Λακεδαιμόνιοι, οὐ
5 δίκαια ποιεῖτε οὐδ' ἄξια οὔτε ὑμῶν οὔτε πατέρων ὧν ἐστέ,
ἐς γῆν τὴν Πλαταιῶν στρατεύοντες. Παυσανίας γὰρ ὁ Κλεομ-
βρότου Λακεδαιμόνιος ἐλευθερώσας τὴν Ἑλλάδα ἀπὸ τῶν Μήδων,
θύσας ἐν τῇ Πλαταιῶν ἀγορᾷ ἱερὰ Διὶ ἐλευθερίῳ καὶ συγκαλέσας
πάντας τοὺς ξυμμάχους ἀπεδίδου Πλαταιεῦσι γῆν καὶ πόλιν
10 τὴν σφετέραν ἔχοντας αὐτονόμους οἰκεῖν, στρατεῦσαί τε μηδένα

ποτὲ ἀδίκως ἐπ᾽ αὐτοὺς μηδ᾽ ἐπὶ δουλείᾳ· τάδε μὲν ἡμῖν πατέρες
οἱ ὑμέτεροι ἔδοσαν ἀρετῆς ἕνεκα καὶ προθυμίας τῆς ἐν ἐκείνοις
τοῖς κινδύνοις γενομένης, ὑμεῖς δὲ τἀναντία δρᾶτε· μετὰ γὰρ
Θηβαίων τῶν ἡμῖν ἐχθίστων ἐπὶ δουλείᾳ τῇ ἡμετέρᾳ ἥκετε.
μάρτυρας δὲ θεοὺς τοὺς ὁρκίους τότε γενομένους ποιούμενοι, 15
λέγομεν ὑμῖν γῆν τὴν Πλαταιίδα μὴ ἀδικεῖν μηδὲ παραβαίνειν
τοὺς ὅρκους, ἐᾶν δὲ οἰκεῖν αὐτονόμους καθάπερ Παυσανίας
ἐδικαίωσεν."

THUCYDIDES

102

The difficulties of neutrality

τοσαῦτα εἰπόντων τῶν Πλαταιῶν Ἀρχίδαμος ὑπολαβὼν εἶπεν·
"Δίκαια λέγετε, ὦ ἄνδρες Πλαταιῆς, ἢν ποιῆτε ὁμοῖα τοῖς
λόγοις. καθάπερ γὰρ Παυσανίας ὑμῖν παρέδωκεν, αὐτοί τε
αὐτονομεῖσθε καὶ τοὺς ἄλλους ξυνελευθεροῦτε, ὅσοι μετασχόντες
τῶν τότε κινδύνων ὑμῖν τε ξυνώμοσαν καὶ εἰσὶ νῦν ὑπ᾽ Ἀθηναίοις, 5
παρασκευή τε τοσήδε καὶ πόλεμος γεγένηται αὐτῶν ἐλευθερώσεως
ἕνεκα καὶ τῶν ἄλλων. ἧς μάλιστα μὲν μετασχόντες καὶ αὐτοὶ
ἐμμείνατε τοῖς ὅρκοις· εἰ δὲ μή, ἅπερ καὶ πρότερον ἤδη πρου-
καλεσάμεθα, ἡσυχίαν ἄγετε νεμόμενοι τὰ ὑμέτερα αὐτῶν, καὶ
ἔστε μηδὲ μεθ᾽ ἑτέρων, δέχεσθε δὲ ἀμφοτέρους φίλους, ἐπὶ 10
πολέμῳ δὲ μηδετέρους. καὶ τάδε ἡμῖν ἀρκέσει." οἱ δὲ Πλαταιῶν
πρέσβεις ἀκούσαντες ταῦτα ἐσῆλθον εἰς τὴν πόλιν καὶ τῷ πλήθει
τὰ ῥηθέντα κοινώσαντες ἀπεκρίναντο αὐτῷ ὅτι ἀδύνατα σφίσιν
εἴη ποιεῖν ἃ προκαλεῖται ἄνευ Ἀθηναίων (παῖδες γὰρ σφῶν καὶ
γυναῖκες παρ᾽ ἐκείνοις εἶεν), δεδιέναι δὲ καὶ περὶ τῇ πάσῃ 15
πόλει μὴ ἐκείνων ἀποχωρησάντων Ἀθηναῖοι ἐλθόντες σφίσιν
οὐκ ἐπιτρέπωσιν, ἢ Θηβαῖοι αὖθις σφῶν τὴν πόλιν πειράσωσι
καταλαβεῖν.

THUCYDIDES

103-4

THE next two passages are also concerned with the siege of Plataea. The first passage refers to a successful attempt at an escape from the city by a group of Plataeans and Athenians. The second passage is taken from Thucydides' account of the discussions at the end of the siege in 427 B.C., when the inhabitants had surrendered to their enemies. The Plataeans have just made a long address to the Spartans, and the Thebans respond with a lengthy speech of their own, in case the Spartans should have been persuaded by what they have heard. Part of the speech of the Thebans is given here.

(The result of their surrender is described in Section I, § 27. 'Such', says Thucydides, 'was the end of Plataea, in the ninety-third year after she became the ally of Athens.')

103

Judging height

τοῦ δ' αὐτοῦ χειμῶνος οἱ Πλαταιῆς (ἔτι γὰρ ἐπολιορκοῦντο
ὑπὸ τῶν Πελοποννησίων καὶ Βοιωτῶν) ἐπειδὴ τῷ τε σίτῳ
ἐπιλείποντι ἐπιέζοντο καὶ ἀπὸ τῶν Ἀθηνῶν οὐδεμία ἐλπὶς ἦν
τιμωρίας οὐδὲ ἄλλη σωτηρία ἐφαίνετο, ἐπιβουλεύουσιν αὐτοί
5 τε καὶ Ἀθηναίων οἱ ξυμπολιορκούμενοι πρῶτον μὲν πάντες
ἐξελθεῖν καὶ ὑπερβῆναι τὰ τείχη τῶν πολεμίων, ἢν δύνωνται
βιάσασθαι. ἔπειτα οἱ μὲν ἡμίσεις ἀπώκνησάν πως τὸν κίνδυνον
μέγαν ἡγησάμενοι, ἐς δὲ ἄνδρας διακοσίους καὶ εἴκοσι μάλιστα
ἐνέμειναν τῇ ἐξόδῳ τρόπῳ τοιῷδε. κλίμακας ἐποιήσαντο ἴσας
10 τῷ τείχει τῶν πολεμίων· ξυνεμετρήσαντο δὲ ταῖς ἐπιβολαῖς τῶν
πλίνθων. ἠριθμοῦντο δὲ πολλοὶ ἅμα τὰς ἐπιβολάς, καὶ ἔμελλον
οἱ μέν τινες ἁμαρτήσεσθαι οἱ δὲ πλείους τεύξεσθαι τοῦ ἀληθοῦς
λογισμοῦ, ἄλλως τε καὶ πολλάκις ἀριθμοῦντες καὶ ἅμα οὐ πολὺ
ἀπέχοντες, ἀλλὰ ῥᾳδίως καθορωμένου ἐς ὃ ἐβούλοντο τοῦ τείχους.
15 τὴν οὖν ξυμμέτρησιν τῶν κλιμάκων οὕτως ἔλαβον, ἐκ τοῦ πάχους
τῆς πλίνθου εἰκάσαντες τὸ μέτρον.

THUCYDIDES

104

The Plataean rejection of Thebes

"Τοὺς μὲν λόγους οὐκ ἂν ἠτησάμεθα εἰπεῖν, εἰ καὶ οὗτοι βραχέως τὸ ἐρωτηθὲν ἀπεκρίναντο καὶ μὴ ἐπὶ ἡμᾶς τραπόμενοι κατηγορίαν ἐποιήσαντο καὶ περὶ αὐτῶν ἔξω τῶν προκειμένων καὶ ἅμα οὐδὲ ἠτιαμένων πολλὴν τὴν ἀπολογίαν καὶ ἔπαινον ὧν οὐδεὶς ἐμέμψατο· νῦν δὲ πρὸς μὲν τὰ ἀντειπεῖν δεῖ, τῶν δὲ ἔλεγχον 5 ποιήσασθαι, ἵνα μήτε ἡ ἡμετέρα αὐτοὺς κακία ὠφελῇ μήτε ἡ τούτων δόξα, τὸ δ' ἀληθὲς περὶ ἀμφοτέρων ἀκούσαντες κρίνητε.

"Ἡμεῖς δὲ αὐτοῖς διάφοροι ἐγενόμεθα πρῶτον ὅτι ἡμῶν κτισάντων Πλάταιαν ὕστερον τῆς ἄλλης Βοιωτίας καὶ ἄλλα χωρία μετ' αὐτῆς, ἃ ξυμμείκτους ἀνθρώπους ἐξελάσαντες ἔσχομεν, οὐκ 10 ἠξίουν οὗτοι, ὥσπερ ἐτάχθη τὸ πρῶτον, ἡγεμονεύεσθαι ὑφ' ἡμῶν, ἔξω δὲ τῶν ἄλλων Βοιωτῶν παραβαίνοντες τὰ πάτρια, ἐπειδὴ προσηναγκάζοντο, προσεχώρησαν πρὸς Ἀθηναίους καὶ μετ' αὐτῶν πολλὰ ἡμᾶς ἔβλαπτον, ἀνθ' ὧν καὶ ἀντέπασχον."

THUCYDIDES

105–6

EURIPIDES' play *Medea* was produced in 431 B.C. Medea was the daughter of Aeetes, king of Colchis, but she also had divine blood in her as she was the grand-daughter of Helios, the sun-god. When Jason and the Argonauts arrived at Colchis in order to fetch the Golden Fleece, Medea, whose name means 'the cunning one', assisted him to obtain it by her magic powers and fell in love with him. Jason took her back with him as his bride to Iolcos, where Pelias occupied the throne which by right belonged to Jason. Medea again assisted Jason by her magic powers to get rid of this usurper. The story of Euripides' play, however, is set in Corinth, where Jason and Medea had settled. Creon, the king of Corinth, offers his daughter to Jason in marriage—on condition that he will get rid of Medea and her two children. Jason consents. In the first extract, Creon explains to Medea his reasons for wishing to be rid of her.

In her fury, Medea again summons up her magic powers. She gives a 'wedding gift' to Creon's daughter—a robe which kills anyone who touches it. Both Creon and his daughter are killed by means of it. The second extract is Medea's speech as she is about to kill her own two children to prevent others doing so and to spite Jason.

105

ΜΗΔΕΙΑ ΚΡΕΩΝ

Μη. αἰαῖ· πανώλης ἡ τάλαιν' ἀπόλλυμαι·
ἐχθροὶ γὰρ ἐξιᾶσι πάντα δὴ κάλων,
κοὐκ ἔστιν ἄτης εὐπρόσοιστος ἔκβασις.
ἐρήσομαι δὲ καὶ κακῶς πάσχουσ' ὅμως·
5   τίνος μ' ἔκατι γῆς ἀποστέλλεις, Κρέον;
Κρ. δέδοικά σ'—οὐδὲν δεῖ παραμπίσχειν λόγους—
μή μοί τι δράσῃς παῖδ' ἀνήκεστον κακόν.
συμβάλλεται δὲ πολλὰ τοῦδε δείματος.
σοφὴ πέφυκας καὶ κακῶν πολλῶν ἴδρις
10   λυπῇ δὲ λέκτρων ἀνδρὸς ἐστερημένη.
κλύω δ' ἀπειλεῖν σ', ὡς ἀπαγγέλλουσί μοι,
τὸν δόντα καὶ γήμαντα καὶ γαμουμένην
δράσειν τι. ταῦτ' οὖν πρὶν παθεῖν φυλάξομαι.
κρεῖσσον δέ μοι νῦν πρός σ' ἀπέχθεσθαι, γύναι,
15   ἢ μαλθακισθένθ' ὕστερον μέγα στένειν.

EURIPIDES

106

ΜΗΔΕΙΑ

φίλαι, δέδοκται τοὔργον ὡς τάχιστά μοι
παῖδας κτανούσῃ τῆσδ' ἀφορμᾶσθαι χθονός,
καὶ μὴ σχολὴν ἄγουσαν ἐκδοῦναι τέκνα
ἄλλῃ φονεῦσαι δυσμενεστέρᾳ χερί.

πάντως σφ' ἀνάγκη κατθανεῖν· ἐπεὶ δὲ χρή,   5
ἡμεῖς κτενοῦμεν, οἵπερ ἐξεφύσαμεν.
ἀλλ' εἶ' ὁπλίζου, καρδία· τί μέλλομεν
τὰ δεινὰ κἀναγκαῖα μὴ πράσσειν κακά;
ἄγ', ὦ τάλαινα χεὶρ ἐμή, λαβὲ ξίφος,
λάβ', ἔρπε πρὸς βαλβῖδα λυπηρὰν βίου,   10
καὶ μὴ κακισθῇς μηδ' ἀναμνησθῇς τέκνων
ὡς φίλταθ', ὡς ἔτικτες· ἀλλὰ τήνδε γε
λαθοῦ βραχεῖαν ἡμέραν παίδων σέθεν,
κἄπειτα θρήνει· καὶ γὰρ εἰ κτενεῖς σφ', ὅμως
φίλοι γ' ἔφυσαν—δυστυχὴς δ' ἐγὼ γυνή.   15

EURIPIDES

107

SOPHOCLES' *Electra* deals with the same period in the story of the House of Atreus as Euripides' play of the same name (see the note preceding Section I, § 45), though the myth is not the same in some details, notably that Electra has not been married to a poor farmer, but is still living in the palace. Orestes returns to avenge his father, but disguises himself as a messenger bringing news of his own death in order to be able to get into the palace. Clytemnestra receives the news with scarcely concealed joy, but Electra is desolate, and decides to avenge Agamemnon herself since Orestes can no longer do so. Electra meets Orestes with the urn containing his supposed ashes, and the following excerpt comes from her speech at this point. Later, Clytemnestra and Aegisthus are killed, and the play ends with the Chorus rejoicing at the liberation of the House from its curse— a provocative difference of interpretation from that of Aeschylus and Euripides.

The life of Sophocles almost spanned the fifth century B.C.; as a young man he led the paean of thanksgiving after the victory of Salamis (480), and his whole life was marked by remarkable good fortune. He won 24 tragic victories, which means that 96 of his (probable) 123 plays were successful, and he was never placed third in the contest; in addition to this, he played an honourable part in the political life of Athens; he died at the age of 90 in 406, and thus escaped the final humiliation of Athens at the end of the Peloponnesian War.

107

ΗΛΕΚΤΡΑ

ὦ φιλτάτου μνημεῖον ἀνθρώπων ἐμοί,
ψυχῆς Ὀρέστου λοιπόν, ὥς σ' ἀπ' ἐλπίδων
οὐχ ὥσπερ ἐξέπεμπον εἰσεδεξάμην.
νῦν μὲν γὰρ οὐδὲν ὄντα βαστάζω χεροῖν,
5   δόμων δέ σ', ὦ παῖ, λαμπρὸν ἐξέπεμψ' ἐγώ.
ὡς ὤφελον πάροιθεν ἐκλιπεῖν βίον,
πρὶν ἐς ξένην σε γαῖαν ἐκπέμψαι χεροῖν
κλέψασα τοῦδε κἀνασώσασθαι φόνου,
ὅπως θανὼν ἔκεισο τῇ τόθ' ἡμέρᾳ,
10 τύμβου πατρῴου κοινὸν εἰληχὼς μέρος.
νῦν δ' ἐκτὸς οἴκων κἀπὶ γῆς ἄλλης φυγὰς
κακῶς ἀπώλου, σῆς κασιγνήτης δίχα.

SOPHOCLES

108

EURIPIDES' play *The Phoenician Women* was produced somewhere around the year 407 B.C. It is set in the city of Thebes. Oedipus, the former king, now blind and in retirement, had been insulted by his two sons, Eteocles and Polynices, and had put a curse upon them. The play is the story of the working out of the curse. Eteocles and Polynices had decided to reign in alternate years—Eteocles taking the first turn as king. When the time came for him to hand over to his brother, he refused. Polynices summons other great warriors to help him in an expedition against Thebes—the famous 'Seven against Thebes'. The two brothers meet in battle and kill each other.

(The title of this play is an interesting example of the frequent practice of naming the play after the Chorus and not after one of the main characters. It so happens that at the time of the opening of the play, a group of women from Phoenicia are in Thebes *en route* for Delphi where they are to pay homage to Apollo, and they form the Chorus and give the play its title; they are merely onlookers and have no direct contact with the events taking place.)

108

Polynices justifies his position

ΠΟΛΥΝΕΙΚΗΣ

ἐγὼ δὲ πατρὸς δωμάτων προυσκεψάμην
τοὐμόν τε καὶ τοῦδ', ἐκφυγεῖν χρῄζων ἀρὰς
ἃς Οἰδίπους ἐφθέγξατ' εἰς ἡμᾶς ποτε,
ἐξῆλθον ἔξω τῆσδ' ἑκὼν αὐτὸς χθονός,
δοὺς τῷδ' ἀνάσσειν πατρίδος ἐνιαυτοῦ κύκλον,   5
ὥστ' αὐτὸς ἄρχειν αὖθις ἀνὰ μέρος λαβὼν
καὶ μὴ δι' ἔχθρας τῷδε καὶ φθόνου μολὼν
κακόν τι δρᾶσαι καὶ παθεῖν, ἃ γίγνεται.
ὁ δ' αἰνέσας ταῦθ' ὁρκίους τε δοὺς θεούς,
ἔδρασεν οὐδὲν ὧν ὑπέσχετ', ἀλλ' ἔχει   10
τυραννίδ' αὐτὸς καὶ δόμων ἐμῶν μέρος.

   καὶ νῦν ἕτοιμός εἰμι τἀμαυτοῦ λαβὼν
στρατὸν μὲν ἔξω τῆσδ' ἀποστεῖλαι χθονός,
οἰκεῖν δὲ τὸν ἐμὸν οἶκον ἀνὰ μέρος λαβὼν
καὶ τῷδ' ἀφεῖναι τὸν ἴσον αὖθις αὖ χρόνον.   15

EURIPIDES

109

SOPHOCLES' play *Antigone* was produced around 441 B.C. It also has
its setting in Thebes (see the note on the previous passage). Creon,
acting as regent of Thebes after the deaths of Eteocles and Polynices,
has ordered that the body of Polynices shall remain where it lies,
unburied. Antigone, one of the daughters of Oedipus, refuses to
allow the body of her brother to be outraged in this way and performs
the necessary rites over it. She is entombed alive by Creon for her
act; later, Creon repents, but by the time the cave is opened to release
Antigone she has killed herself. The present excerpt comes from the
passage where Antigone justifies her defiance of Creon's order.

109

Real justice

ΑΝΤΙΓΟΝΗ

οὐ γάρ τί μοι Ζεὺς ἦν ὁ κηρύξας τάδε,
οὐδ' ἡ ξύνοικος τῶν κάτω θεῶν Δίκη
τοιούσδ' ἐν ἀνθρώποισιν ὥρισεν νόμους,
οὐδὲ σθένειν τοσοῦτον ᾠόμην τὰ σὰ
5 κηρύγμαθ' ὥστ' ἄγραπτα κἀσφαλῆ θεῶν
νόμιμα δύνασθαι θνητὸν ὄνθ' ὑπερδραμεῖν.
οὐ γάρ τι νῦν γε κἀχθές, ἀλλ' ἀεί ποτε
ζῇ ταῦτα, κοὐδεὶς οἶδεν ἐξ ὅτου 'φάνη.
τούτων ἐγὼ οὐκ ἔμελλον, ἀνδρὸς οὐδενὸς
10 φρόνημα δείσασ', ἐν θεοῖσι τὴν δίκην
δώσειν· θανουμένη γὰρ ἐξῄδη, τί δ' οὔ;
κεἰ μὴ σὺ προυκήρυξας. εἰ δὲ τοῦ χρόνου
πρόσθεν θανοῦμαι, κέρδος αὔτ' ἐγὼ λέγω.
ὅστις γὰρ ἐν πολλοῖσιν, ὡς ἐγώ, κακοῖς
15 ζῇ, πῶς ὅδ' οὐχὶ κατθανὼν κέρδος φέρει;

SOPHOCLES

110

EURIPIDES' play *Alcestis* was produced in 438 B.C. The play is set in the palace of Admetus, king of Pherae in Thessaly. Years before the play opens, the god Apollo was banished for a time from Olympus for having murdered the Cyclops and was made to serve Admetus as a herdsman. Admetus treated him kindly. As a reward, Apollo persuaded the Fates that, when the time came for Admetus to die, they should accept in his place anyone who agreed to die in his stead. None of his blood-relations was willing to do this; but his wife Alcestis did agree. The play opens on the day on which Death has come to claim Alcestis instead of Admetus.

110

Alcestis speaks to Admetus before dying
for him

ΑΛΚΗΣΤΙΣ

Ἄδμηθ', ὁρᾷς γὰρ τἀμὰ πράγμαθ' ὡς ἔχει,
λέξαι θέλω σοι πρὶν θανεῖν ἃ βούλομαι.
ἐγώ σε πρεσβεύουσα κἀντὶ τῆς ἐμῆς
ψυχῆς καταστήσασα φῶς τόδ' εἰσορᾶν,
θνήσκω, παρόν μοι μὴ θανεῖν, ὑπὲρ σέθεν,   5
ἀλλ' ἄνδρα τε σχεῖν Θεσσαλῶν ὃν ἤθελον,
καὶ δῶμα ναίειν ὄλβιον τυραννίδι.
οὐκ ἠθέλησα ζῆν ἀποσπασθεῖσά σου
σὺν παισὶν ὀρφανοῖσιν, οὐδ' ἐφεισάμην
ἥβης, ἔχουσ' ἐν οἷς ἐτερπόμην ἐγώ.   10
καίτοι σ' ὁ φύσας χἠ τεκοῦσα προύδοσαν,
καλῶς μὲν αὐτοῖς κατθανεῖν ἧκον βίου,
καλῶς δὲ σῶσαι παῖδα κεὐκλεῶς θανεῖν.
μόνος γὰρ αὐτοῖς ἦσθα, κοὔτις ἐλπὶς ἦν
σοῦ κατθανόντος ἄλλα φιτύσειν τέκνα.   15

EURIPIDES

111

THIS passage comes from Euripides' play *Electra*. For the background of this play see the note preceding Section I, § 45.

111

How can one judge true nobility?

ΟΡΕΣΤΗΣ

φεῦ.
οὐκ ἔστ' ἀκριβὲς οὐδὲν εἰς εὐανδρίαν·
ἔχουσι γὰρ ταραγμὸν αἱ φύσεις βροτῶν.

ἤδη γὰρ εἶδον ἄνδρα γενναίου πατρὸς
τὸ μηδὲν ὄντα, χρηστά τ᾽ ἐκ κακῶν τέκνα,
λιμόν τ᾽ ἐν ἀνδρὸς πλουσίου φρονήματι
γνώμην τε μεγάλην ἐν πένητι σώματι.
πῶς οὖν τις αὐτὰ διαλαβὼν ὀρθῶς κρινεῖ;
πλούτῳ; πονηρῷ τἄρα χρήσεται κριτῇ·
ἢ τοῖς ἔχουσι μηδέν; ἀλλ᾽ ἔχει νόσον
πενία, διδάσκει δ᾽ ἄνδρα τῇ χρείᾳ κακόν.
ἀλλ᾽ εἰς ὅπλ᾽ ἔλθω; τίς δὲ πρὸς λόγχην βλέπων
μάρτυς γένοιτ᾽ ἂν ὅστις ἐστὶν ἀγαθός;
κράτιστον εἰκῇ ταῦτ᾽ ἐᾶν ἀφειμένα.
οὗτος γὰρ ἀνὴρ οὐκ ἐν Ἀργείοις μέγας,
ἐν τοῖς δὲ πολλοῖς ὤν, ἄριστος ηὑρέθη.

EURIPIDES

112–16

THE following passages come from Euripides' *Andromache*; for an
introduction, see the notes preceding Section I, § 40. In the first
passage, Andromache persuades a servant to take a message to
Peleus for her, since previous ones seem to have gone astray. The
second passage continues directly from the first, with Andromache
lamenting her fate. In the third, Hermione speaks contemptuously of
Andromache, and points out her real position as a slave. In the fourth
Andromache decides to sacrifice herself to try to save her child's
life, and in the fifth bursts into a bitter accusation of Sparta and the
Spartans when she discovers that she has been tricked by Menelaus
and Hermione. The anti-Spartan sentiment of the play may well be
connected with the Peloponnesian War.

112

ΘΕΡΑΠΑΙΝΑ ΑΝΔΡΟΜΑΧΗ

Θε.   νῦν δ᾽ ἔρημος εἶ φίλων.
Αν. οὐδ᾽ ἀμφὶ Πηλέως ἦλθεν, ὡς ἥξοι, φάτις;
Θε. γέρων ἐκεῖνος ὥστε σ᾽ ὠφελεῖν παρών.
Αν. καὶ μὴν ἔπεμψ᾽ ἐπ᾽ αὐτὸν οὐχ ἅπαξ μόνον.

Θε. μῶν οὖν δοκεῖς σου φροντίσαι τιν' ἀγγέλων;   5
Αν. πόθεν; θέλεις οὖν ἄγγελος σύ μοι μολεῖν;
Θε. τί δῆτα φήσω χρόνιος οὖσ' ἐκ δωμάτων;
Αν. πολλὰς ἂν εὕροις μηχανάς· γυνὴ γὰρ εἶ·
Θε. κίνδυνος· Ἑρμιόνη γὰρ οὐ σμικρὸν φύλαξ.
Αν. ὁρᾷς; ἀπαυδᾷς ἐν κακοῖς φίλοισι σοῖς.   10
Θε. οὐ δῆτα· μηδὲν τοῦτ' ὀνειδίσῃς ἐμοί.
    ἀλλ' εἶμ', ἐπεί τοι κοὐ περίβλεπτος βίος
    δούλης γυναικός, ἤν τι καὶ πάθω κακόν.

EURIPIDES

113

ΑΝΔΡΟΜΑΧΗ

χώρει νυν· ἡμεῖς δ', οἷσπερ ἐγκείμεσθ' ἀεὶ
θρήνοισι καὶ γόοισι καὶ δακρύμασι,
πρὸς αἰθέρ' ἐκτενοῦμεν· ἐμπέφυκε γὰρ
γυναιξὶ τέρψις τῶν παρεστώτων κακῶν
ἀνὰ στόμ' ἀεὶ καὶ διὰ γλώσσης ἔχειν.   5
πάρεστι δ' οὐχ ἓν ἀλλὰ πολλά μοι στένειν,
πόλιν πατρῴαν τὸν θανόντα θ' Ἕκτορα
στερρόν τε τὸν ἐμὸν δαίμον' ᾧ συνεζύγην
δούλειον ἦμαρ εἰσπεσοῦσ' ἀναξίως.
χρὴ δ' οὔποτ' εἰπεῖν οὐδέν' ὄλβιον βροτῶν,   10
πρὶν ἂν θανόντος τὴν τελευταίαν ἴδῃς
ὅπως περάσας ἡμέραν ἥξει κάτω.

EURIPIDES

114

ΕΡΜΙΟΝΗ

σὺ δ' οὖσα δούλη καὶ δορίκτητος γυνὴ
δόμους κατασχεῖν ἐκβαλοῦσ' ἡμᾶς θέλεις.
ἀλλ' οὔ σ' ὀνήσει δῶμα Νηρῇδος τόδε,

οὐ βωμὸς οὐδὲ ναός, ἀλλὰ κατθανῇ·
ἢν δ' οὖν βροτῶν τίς σ' ἢ θεῶν σῶσαι θέλῃ,
δεῖ σ' ἀντὶ τῶν πρὶν ὀλβίων φρονημάτων
πτῆξαι ταπεινὴν προσπεσεῖν τ' ἐμὸν γόνυ
γνῶναί θ' ἵν' εἶ γῆς. οὐ γάρ ἐσθ' Ἕκτωρ τάδε,
οὐ Πρίαμος οὐδὲ χρυσός, ἀλλ' Ἑλλὰς πόλις.
εἰς τοῦτο δ' ἥκεις ἀμαθίας, δύστηνε σύ,
ἣ παιδὶ πατρός, ὃς σὸν ὤλεσεν πόσιν,
τολμᾷς ξυνεύδειν καὶ τέκν' αὐθέντου πάρα
τίκτειν. τοιοῦτον πᾶν τὸ βάρβαρον γένος.

EURIPIDES

115

ΑΝΔΡΟΜΑΧΗ ΧΟΡΟΣ

Αν. ἐμοὶ δ' ὄνειδος μὴ θανεῖν ὑπὲρ τέκνου.
ἰδοὺ προλείπω βωμὸν ἥδε χειρία
σφάζειν φονεύειν, δεῖν, ἀπαρτῆσαι δέρην.
ὦ τέκνον, ἡ τεκοῦσά σ', ὡς σὺ μὴ θάνῃς,
στείχω πρὸς Ἅιδην· ἢν δ' ὑπεκδράμῃς μόρον,
μέμνησο μητρός, οἷα τλᾶσ' ἀπωλόμην,
καὶ πατρὶ τῷ σῷ διὰ φιλημάτων ἰὼν
δάκρυά τε λείβων καὶ περιπτύσσων χέρας
λέγ' οἷ' ἔπραξα. πᾶσι δ' ἀνθρώποις ἄρ' ἦν
ψυχὴ τέκν'· ὅστις δ' αὔτ' ἄπειρος ὢν ψέγει,
ἧσσον μὲν ἀλγεῖ, δυστυχῶν δ' εὐδαιμονεῖ.
Χο. ᾤκτιρ' ἀκούσασ'. οἰκτρὰ γὰρ τὰ δυστυχῆ
βροτοῖς ἅπασι, κἂν θυραῖος ὢν κυρῇ.

EURIPIDES

116

ΑΝΔΡΟΜΑΧΗ

ὦ πᾶσιν ἀνθρώποισιν ἔχθιστοι βροτῶν
Σπάρτης ἔνοικοι, δόλια βουλευτήρια,
ψευδῶν ἄνακτες, μηχανορράφοι κακῶν,
ἑλικτὰ κοὐδὲν ὑγιές, ἀλλὰ πᾶν πέριξ
φρονοῦντες, ἀδίκως εὐτυχεῖτ᾽ ἀν᾽ Ἑλλάδα.   5
τί δ᾽ οὐκ ἐν ὑμῖν ἐστιν; οὐ πλεῖστοι φόνοι;
οὐκ αἰσχροκερδεῖς; οὐ λέγοντες ἄλλα μὲν
γλώσσῃ, φρονοῦντες δ᾽ ἄλλ᾽ ἐφευρίσκεσθ᾽ ἀεί;
ὄλοισθ᾽. ἐμοὶ μὲν θάνατος οὐχ οὕτω βαρὺς
ὡς σοὶ δέδοκται· κεῖνα γάρ μ᾽ ἀπώλεσεν   10
ὅθ᾽ ἡ τάλαινα πόλις ἀνηλώθη Φρυγῶν
πόσις θ᾽ ὁ κλεινός, ὅς σε πολλάκις δορὶ
ναύτην ἔθηκεν ἀντὶ χερσαίου κακόν.
νῦν δ᾽ εἰς γυναῖκα γοργὸς ὁπλίτης φανεὶς
κτείνεις μ᾽. ἀπόκτειν᾽· εἰ δ᾽ ἐγὼ πράσσω κακῶς   15
μηδὲν τόδ᾽ αὔχει· καὶ σὺ γὰρ πράξειας ἄν.

EURIPIDES

117–18

THE two following extracts are taken from Aristophanes' comedy *The Knights*, produced in 424 B.C. This play was an attack on Cleon, a popular leader, then at the height of his power; there is a reference to Cleainetus, his father, in the first extract. The Chorus consists of the Knights—the young men who constituted the Athenian cavalry, and who were drawn from the more aristocratic classes; they were thus the natural enemies of demagogues like Cleon.

In the first extract the Knights criticize those who, unlike themselves and their ancestors, expect rewards for their services to their city. In the second extract the Knights sing the praises of their remarkable horses.

117

ΧΟΡΟΣ

εὐλογῆσαι βουλόμεσθα τοὺς πατέρας ἡμῶν, ὅτι
ἄνδρες ἦσαν τῆσδε τῆς γῆς ἄξιοι καὶ τοῦ πέπλου,
οἵτινες πεζαῖς μάχαισιν ἔν τε ναυφάρκτῳ στράτῳ
πανταχοῦ νικῶντες ἀεὶ τήνδ᾽ ἐκόσμησαν πόλιν·
5 οὐ γὰρ οὐδεὶς πώποτ᾽ αὐτῶν τοὺς ἐναντίους ἰδὼν
ἠρίθμησεν, ἀλλ᾽ ὁ θυμὸς εὐθὺς ἦν Ἀμυνίας·
εἰ δέ που πέσοιεν ἐς τὸν ὦμον ἐν μάχῃ τινί,
τοῦτ᾽ ἀπεψήσαντ᾽ ἄν, εἶτ᾽ ἠρνοῦντο μὴ πεπτωκέναι
ἀλλὰ διεπάλαιον αὖθις. καὶ στρατηγὸς οὐδ᾽ ἂν εἷς
10 τῶν πρὸ τοῦ σίτησιν ᾔτησ᾽ ἐρόμενος Κλεαίνετον·
νῦν δ᾽ ἐὰν μὴ προεδρίαν φέρωσι καὶ τὰ σιτία
οὐ μαχεῖσθαί φασιν. ἡμεῖς δ᾽ ἀξιοῦμεν τῇ πόλει
προῖκα γενναίως ἀμύνειν καὶ θεοῖς ἐγχωρίοις.

ARISTOPHANES

118

ΧΟΡΟΣ

ἃ ξύνισμεν τοῖσιν ἵπποις, βουλόμεσθ᾽ ἐπαινέσαι.
ἄξιοι δ᾽ εἴσ᾽ εὐλογεῖσθαι· πολλὰ γὰρ δὴ πράγματα
ξυνδιήνεγκαν μεθ᾽ ἡμῶν, ἐσβολάς τε καὶ μάχας.
ἀλλὰ τἀν τῇ γῇ μὲν αὐτῶν οὐκ ἄγαν θαυμάζομεν,
5 ὡς ὅτ᾽ εἰς τὰς ἱππαγωγοὺς εἰσεπήδων ἀνδρικῶς·
εἶτα τὰς κώπας λαβόντες, ὥσπερ ἡμεῖς οἱ βροτοὶ
ἐμβαλόντες ἀνεβρύαξαν, " Ἱππαπαῖ, τίς ἐμβαλεῖ;"
ἐξεπήδων τ᾽ ἐς Κόρινθον· εἶτα δ᾽ οἱ νεώτεροι
ταῖς ὁπλαῖς ὤρυττον εὐνὰς καὶ μετῇσαν στρώματα·
10 ἤσθιον δὲ τοὺς παγούρους ἀντὶ ποίας Μηδικῆς,
εἴ τις ἐξέρποι θύραζε, κἀκ βυθοῦ θηρώμενοι·

ὥστ᾽ ἔφη Θέωρος εἰπεῖν καρκίνον Κορίνθιον·
"Δεινά γ᾽, ὦ Πόσειδον, εἰ μήτ᾽ ἐν βυθῷ δυνήσομαι
μήτε γῇ μήτ᾽ ἐν θαλάττῃ διαφυγεῖν τοὺς ἱππέας."

ARISTOPHANES

119–22

THE next four selections of passages are all drawn from the *Oxford Book of Greek Verse*. The majority of the passages are elegiac epitaphs, ranging from the seventh century B.C. to the fifth century A.D. The elegiac metre was often used for this purpose, and also for the expression of neat ideas briefly, such as the epigram on 'Virtue', and 'Après moi le Déluge' (pieces 120b, 121e). There are also a short excerpt from one of Euripides' lost plays and two fragments from Menander. These examples may give some idea of the mastery with which the Greeks of widely differing ages handled this literary form; the slight variations from Attic dialect in a number of them should not cause great problems, and contribute considerably to their effect.

119

(*a*) Epitaph on the dead at Thermopylae (480 B.C.)

ὦ ξεῖν᾽, ἀγγέλλειν Λακεδαιμονίοις ὅτι τῇδε
κείμεθα, τοῖς κείνων ῥήμασι πειθόμενοι.

SIMONIDES (556–478 B.C.)

(*b*) The Athenian monument at Plataea (479 B.C.)

εἰ τὸ καλῶς θνήσκειν ἀρετῆς μέρος ἐστὶ μέγιστον,
ἡμῖν ἐκ πάντων τοῦτ᾽ ἀπένειμε τύχη·
Ἑλλάδι γὰρ σπεύδοντες ἐλευθερίην περιθεῖναι
κείμεθ᾽ ἀγηράντῳ χρώμενοι εὐλογίῃ.

SIMONIDES

(c) The dead from Eretria

Εὐβοίης γένος ἐσμὲν Ἐρετρικόν, ἄγχι δὲ Σούσων
κείμεθα· φεῦ, γαίης ὅσσον ἀφ' ἡμετέρης.

PLATO (429–347 B.C.)

(d) On Brotachus, the Cretan

Κρὴς γενεὰν Βρόταχος Γορτύνιος ἐνθάδε κεῖμαι
οὐ κατὰ τοῦτ' ἐλθών, ἀλλὰ κατ' ἐμπορίαν.

SIMONIDES

(e) On Nicoteles

δωδεκέτη τὸν παῖδα πατὴρ ἀπέθηκε Φίλιππος
ἐνθάδε, τὴν πολλὴν ἐλπίδα, Νικοτέλην.

CALLIMACHUS (310–240 B.C.)

120

(a) 'There are no gods'

φησίν τις εἶναι δῆτ' ἐν οὐράνῳ θεούς;
οὐκ εἰσίν, οὐκ εἴσ', εἴ τις ἀνθρώπων θέλει
μὴ τῷ παλαιῷ μῶρος ὢν χρῆσθαι λόγῳ.
σκέψασθε δ' αὐτοί, μὴ 'πὶ τοῖς ἐμοῖς λόγοις
5 γνώμην ἔχοντες. φήμ' ἐγὼ τυραννίδα
κτείνειν τε πλείστους κτημάτων τ' ἀποστερεῖν
ὅρκους τε παραβαίνοντας ἐκπορθεῖν πόλεις·
καὶ ταῦτα δρῶντες μᾶλλόν εἰσ' εὐδαίμονες
τῶν εὐσεβούντων ἡσυχῇ καθ' ἡμέραν.
10 πόλεις τε μικρὰς οἶδα τιμώσας θεούς,
αἳ μειζόνων κλύουσι δυσσεβεστέρων
λόγχης ἀριθμῷ πλείονος κρατούμεναι.

EURIPIDES (Bellerophon)

(b) Virtue

ὦ τλῆμον ἀρέτη, λόγος ἄρ' ἦσθ'. ἐγὼ δέ σε
ὡς ἔργον ἤσκουν· σὺ δ' ἄρ' ἐδούλευες τύχῃ.

ANON.

121

(a) On Euripides

μνῆμα μὲν Ἑλλὰς ἅπασ' Εὐριπίδου· ὄστεα δ' ἴσχει
γῆ Μακεδών· ἦ γὰρ δέξατο τέρμα βίου.
πάτρις δ' Ἑλλάδος Ἑλλάς, Ἀθῆναι· πλεῖστα δὲ **Μούσαις**
τέρψας, ἐκ πολλῶν καὶ τὸν ἔπαινον ἔχει.

? THUCYDIDES (c. 460–401 B.C.)

(b) On Timocreon of Rhodes

πολλὰ φαγὼν καὶ πολλὰ πιὼν καὶ πολλὰ κάκ' εἰπὼν
ἀνθρώπους κεῖμαι Τιμοκρέων Ῥόδιος.

SIMONIDES

(c) Dionysius of Tarsus

ἑξηκοντούτης Διονύσιος ἐνθάδε κεῖμαι
Ταρσεύς, μὴ γήμας· αἴθε δὲ μηδ' ὁ πατήρ.

ANON.

(d) A slave girl

Ζωσίμη, ἡ πρὶν ἐοῦσα μόνῳ τῷ σώματι δούλη,
καὶ τῷ σώματι νῦν εὗρεν ἐλευθερίην.

DAMASCIUS (fl. 529 A.D.)

(e) 'Après moi le Déluge'

ἐμοῦ θανόντος γαῖα μιχθήτω πυρί·
οὐδὲν μέλει μοι. τἀμὰ γὰρ καλῶς ἔχει.

ANON.

122

(a) Marriage—two views

i

οἰκεῖον οὕτως οὐδέν ἐστιν, ὦ Λάχης,
ἐὰν σκοπῇ τις, ὡς ἀνήρ τε καὶ γυνή.

ii

τὸ γαμεῖν, ἐάν τις τὴν ἀλήθειαν σκοπῇ,
κακὸν μέν ἐστιν, ἀλλ' ἀναγκαῖον κακόν.

MENANDER (? 343–293 B.C.)

(b) 'Golden lads and girls all must, As chimney-sweepers, come to dust'

ποῦ γὰρ τὰ σεμνὰ κεῖνα; ποῦ δὲ Λυδίας
μέγας δυνάστης Κροῖσος ἢ Ξέρξης βαθὺν
ζεύξας θαλάσσης αὐχέν' Ἑλλησποντίας;
ἄπαντ' ἐς Ἅιδην ἦλθε καὶ Λήθης δόμους.

ANON.

(c) The dead

τοῦ μὲν θανόντος οὐκ ἂν ἐνθυμοίμεθα,
εἴ τι φρονοῖμεν, πλεῖον ἡμέρης μιῆς.

SEMONIDES (fl. 630 B.C.)

(d) A question of gender

γραμματικοῦ θυγάτηρ ἔτεκεν φιλότητι μιγεῖσα
παιδίον ἀρσενικόν, θηλυκόν, οὐδέτερον.

PALLADAS (c. 360–430 A.D.)

123–9

THE final sequence is drawn from Sophocles' *Philoctetes*, which was produced in 409 B.C. The play centres upon the bow and arrows of Heracles, which had been presented to Philoctetes as a reward for lighting the funeral pyre on which Heracles died. The weapons had magic properties, and never missed.

On the way to Troy Philoctetes guided the Greek leaders to the shrine of Chryse, where they had to sacrifice, but was bitten by the snake guarding the shrine; the wound festered and Philoctetes' cries of agony prevented the sacrifice being made. Therefore he was abandoned on the apparently uninhabited island of Lemnos suffering from his foul-smelling and incurable wound, and supported himself by shooting birds with the bow. Needless to say, he suffered from a deep sense of grievance against all the Greek leaders, for it was in doing them a necessary service that he had been wounded, and he was particularly bitter against Odysseus, who had been responsible for marooning him.

In the last year of the Trojan War the Greeks learnt from a prophecy that Troy could not be taken without the arrows of Heracles, and were therefore presented with the problem of persuading Philoctetes to return. Odysseus, as the most cunning of the Greeks, and Neoptolemus set off to Lemnos, where the action of the play takes place. Odysseus naturally cannot meet Philoctetes while he has the deadly bow, and therefore sends Neoptolemus, who was not on the first expedition and therefore was not associated with the abandoning of Philoctetes, to persuade him to go with them.

This process will inevitably involve deceit, since Philoctetes will not go willingly; the first two passages show Neoptolemus' distaste, and his reluctant agreement to use such methods. He pretends to have quarrelled with the Greek leaders, and to be on his way home to Scyros; Philoctetes welcomes him with delight, and in the third passage begs to be taken home.

Neoptolemus now has Philoctetes' confidence, and while the latter suffers an agonizing attack of pain, is given the bow for safe keeping; Philoctetes then falls into a coma. The chorus of Greek sailors urge Neoptolemus to escape with the bow, but his steadily growing sense of pity for Philoctetes together with his sense of honour prevent his going; the fourth passage gives an account of Neoptolemus' dilemma, and of his decision to tell the truth, and also tell Philoctetes that he must come to Troy.

Philoctetes complains bitterly at the betrayal, and in the fifth passage, when Neoptolemus is on the point of giving way, Odysseus prevents him, and orders him to leave. However, Neoptolemus' conscience finally triumphs, and the sixth and seventh passages show Neoptolemus returning the bow, and regaining the confidence of Philoctetes; Odysseus tries to prevent it, but is routed ignominiously.

The play ends with Neoptolemus agreeing to take Philoctetes home as he had originally promised, but as they are preparing to leave, Heracles appears, and solves the problem. Philoctetes is to return to Troy, be cured, and help in the capture of the city; Philoctetes cannot disobey him, and agrees.

An interesting feature of the play is the author's study of the development of the character of Neoptolemus, and the way in which increasing experience enables him to stand up to Odysseus and not be browbeaten into abandoning what he knows to be right. This is one of the rare Greek tragedies in which accurate drawing and development of character plays an important part.

123

Neoptolemus prefers force to treachery

ΟΔΥΣΣΕΥΣ ΝΕΟΠΤΟΛΕΜΟΣ

Οδ. ἔξοιδα, παῖ, φύσει σε μὴ πεφυκότα
τοιαῦτα φωνεῖν μηδὲ τεχνᾶσθαι κακά·
νῦν δ' εἰς ἀναιδὲς ἡμέρας μέρος βραχὺ
δός μοι σεαυτόν, κᾆτα τὸν λοιπὸν χρόνον
5   κέκλησο πάντων εὐσεβέστατος βροτῶν.

Νε. ἐγὼ μὲν οὓς ἂν τῶν λόγων ἀλγῶ κλύων,
Λαερτίου παῖ, τούσδε καὶ πράσσειν στυγῶ·
ἔφυν γὰρ οὐδὲν ἐκ τέχνης πράσσειν κακῆς,
οὔτ' αὐτὸς οὔθ', ὥς φασιν, οὑκφύσας ἐμέ.
10   ἀλλ' εἴμ' ἑτοῖμος πρὸς βίαν τὸν ἄνδρ' ἄγειν
καὶ μὴ δόλοισιν· οὐ γὰρ ἐξ ἑνὸς ποδὸς
ἡμᾶς τοσούσδε πρὸς βίαν χειρώσεται.
πεμφθείς γε μέντοι σοὶ ξυνεργάτης ὀκνῶ

προδότης καλεῖσθαι· βούλομαι δ᾽, ἄναξ, καλῶς
δρῶν ἐξαμαρτεῖν μᾶλλον ἢ νικᾶν κακῶς.   15

SOPHOCLES

124

Neoptolemus' conscience is quieted

ΝΕΟΠΤΟΛΕΜΟΣ ΟΔΥΣΣΕΥΣ

Νε. τί οὖν μ᾽ ἄνωγας ἄλλο πλὴν ψευδῆ λέγειν;
Οδ. λέγω σ᾽ ἐγὼ δόλῳ Φιλοκτήτην λαβεῖν.
Νε. οὐκ αἰσχρὸν ἡγῇ δῆτα τὰ ψευδῆ λέγειν;
Οδ. οὔκ, εἰ τὸ σωθῆναί γε τὸ ψεῦδος φέρει.
Νε. πῶς οὖν βλέπων τις ταῦτα τολμήσει λακεῖν;   5
Οδ. ὅταν τι δρᾷς ἐς κέρδος, οὐκ ὀκνεῖν πρέπει.
Νε. κέρδος δ᾽ ἐμοὶ τί τοῦτον ἐς Τροίαν μολεῖν;
Οδ. αἱρεῖ τὰ τόξα ταῦτα τὴν Τροίαν μόνα.
Νε. οὐκ ἆρ᾽ ὁ πέρσων, ὡς ἐφάσκετ᾽, εἴμ᾽ ἐγώ;
Οδ. οὔτ᾽ ἂν σὺ κείνων χωρὶς οὔτ᾽ ἐκεῖνα σοῦ.   10
Νε. θηρατέ᾽ οὖν γίγνοιτ᾽ ἄν, εἴπερ ὧδ᾽ ἔχει.
Οδ. ὡς τοῦτό γ᾽ ἔρξας δύο φέρῃ δωρήματα.
Νε. ποίω; μαθὼν γὰρ οὐκ ἂν ἀρνοίμην τὸ δρᾶν.
Οδ. σοφός τ᾽ ἂν αὐτὸς κἀγαθὸς κεκλῇ᾽ ἅμα.
Νε. ἴτω· ποήσω, πᾶσαν αἰσχύνην ἀφείς.   15

SOPHOCLES

125

Philoctetes begs Neoptolemus for a berth—of
any kind

ΦΙΛΟΚΤΗΤΗΣ

πρός νύν σε πατρός, πρός τε μητρός, ὦ τέκνον,
πρός τ᾽ εἴ τί σοι κατ᾽ οἶκόν ἐστι προσφιλές,
ἱκέτης ἱκνοῦμαι, μὴ λίπῃς μ᾽ οὕτω μόνον,

ἐρῆμον ἐν κακοῖσι τοῖσδ' οἵοις ὁρᾷς
ὅσοισί τ' ἐξήκουσας ἐνναίοντά με·
ἀλλ' ἐν παρέργῳ θοῦ με. δυσχέρεια μέν,
ἔξοιδα, πολλὴ τοῦδε τοῦ φορήματος·
ὅμως δὲ τλῆθι· τοῖσι γενναίοισί τοι
τό τ' αἰσχρὸν ἐχθρὸν καὶ τὸ χρηστὸν εὐκλεές.
σοὶ δ', ἐκλιπόντι τοῦτ', ὄνειδος οὐ καλόν,
δράσαντι δ', ὦ παῖ, πλεῖστον, εὐκλείας γέρας,
ἐὰν μόλω 'γὼ ζῶν πρὸς Οἰταίαν χθόνα.
ἴθ'· ἡμέρας τοι μόχθος οὐχ ὅλης μιᾶς.
τόλμησον, ἐμβαλοῦ μ' ὅποι θέλεις ἄγων,
ἐς ἀντλίαν, ἐς πρῷραν, ἐς πρύμνην, ὅπου
ἥκιστα μέλλω τοὺς ξυνόντας ἀλγυνεῖν.

SOPHOCLES

126

Neoptolemus puts obedience to his superiors
above the claims of conscience

ΝΕΟΠΤΟΛΕΜΟΣ ΦΙΛΟΚΤΗΤΗΣ

Νε. ὦ Ζεῦ, τί δράσω; δεύτερον ληφθῶ κακός,
κρύπτων θ' ἃ μὴ δεῖ καὶ λέγων αἴσχιστ' ἐπῶν;
Φι. τί ποτε λέγεις, ὦ τέκνον; ὡς οὐ μανθάνω.
Νε. οὐδέν σε κρύψω· δεῖ γὰρ ἐς Τροίαν σε πλεῖν
πρὸς τοὺς Ἀχαιοὺς καὶ τὸν Ἀτρειδῶν στόλον.
Φι. οἴμοι, τί εἶπας;   Νε. μὴ στέναζε, πρὶν μάθῃς.
Φι. ποῖον μάθημα; τί με νοεῖς δρᾶσαί ποτε;
Νε. σῶσαι κακοῦ μὲν πρῶτα τοῦδ', ἔπειτα δὲ
ξὺν σοὶ τὰ Τροίας πεδία πορθῆσαι μολών.
Φι. καὶ ταῦτ' ἀληθῆ δρᾶν νοεῖς;   Νε. πολλὴ κρατεῖ
τούτων ἀνάγκη· καὶ σὺ μὴ θυμοῦ κλύων.
Φι. ἀπόλωλα τλήμων, προδέδομαι. τί μ', ὦ ξένε,
δέδρακας; ἀπόδος ὡς τάχος τὰ τόξα μοι.

Νε. ἀλλ' οὐχ οἷόν τε· τῶν γὰρ ἐν τέλει κλύειν
τό τ' ἔνδικόν με καὶ τὸ συμφέρον ποεῖ. 15

SOPHOCLES

127

Odysseus intervenes

ΧΟΡΟΣ ΝΕΟΠΤΟΛΕΜΟΣ ΦΙΛΟΚΤΗΤΗΣ
ΟΔΥΣΣΕΥΣ

Χο. τί δρῶμεν; ἐν σοὶ καὶ τὸ πλεῖν ἡμᾶς, ἄναξ,
ἤδη 'στὶ καὶ τοῖς τοῦδε προσχωρεῖν λόγοις.
Νε. ἐμοὶ μὲν οἶκτος δεινὸς ἐμπέπτωκέ τις
τοῦδ' ἀνδρὸς οὐ νῦν πρῶτον, ἀλλὰ καὶ πάλαι.
Φι. ἐλέησον, ὦ παῖ, πρὸς θεῶν, καὶ μὴ παρῇς 5
σαυτὸν βροτοῖς ὄνειδος, ἐκκλέψας ἐμέ.
Νε. τί δρῶμεν, ἄνδρες; Οδ. ὦ κάκιστ' ἀνδρῶν, τί δρᾷς;
οὐκ εἶ μεθεὶς τὰ τόξα ταῦτ' ἐμοὶ πάλιν;
Φι. οἴμοι, τίς ἀνήρ; ἆρ' Ὀδυσσέως κλύω;
Οδ. Ὀδυσσέως, σάφ' ἴσθ', ἐμοῦ γ', ὃν εἰσορᾷς. 10
Φι. οἴμοι· πέπραμαι κἀπόλωλ'. ὅδ' ἦν ἄρα
ὁ ξυλλαβών με κἀπονοσφίσας ὅπλων.
Οδ. ἐγώ, σάφ' ἴσθ', οὐκ ἄλλος· ὁμολογῶ τάδε.
Φι. ἀπόδος, ἄφες μοι, παῖ, τὰ τόξα. Οδ. τοῦτο μέν,
οὐδ' ἢν θέλῃ, δράσει ποτ'· ἀλλὰ καὶ σὲ δεῖ 15
στείχειν ἅμ' αὐτοῖς, ἢ βίᾳ στελοῦσί σε.

SOPHOCLES

128

Philoctetes gets the weapons back

ΝΕΟΠΤΟΛΕΜΟΣ ΦΙΛΟΚΤΗΤΗΣ ΟΔΥΣΣΕΥΣ

Νε. σὺ δ', ὦ Ποίαντος παῖ, Φιλοκτήτην λέγω,
θάρσει· λόγους δ' ἄκουσον οὓς ἥκω φέρων.

Φι. δέδοικ' ἔγωγε. καὶ τὰ πρὶν γὰρ ἐκ λόγων
    καλῶν κακῶς ἔπραξα, σοῖς πεισθεὶς λόγοις.

5 Νε. οὔκουν ἔνεστι καὶ μεταγνῶναι πάλιν;

Φι. τοιοῦτος ἦσθα τοῖς λόγοισι χὤτε μου
    τὰ τόξ' ἔκλεπτες, πιστός, ἀτηρὸς λάθρᾳ.
    ὄλοισθ', Ἀτρεῖδαι μὲν μάλιστ', ἔπειτα δὲ
    ὁ Λαρτίου παῖς, καὶ σύ.   Νε. μὴ 'πεύξῃ πέρα·
10   δέχου δὲ χειρὸς ἐξ ἐμῆς βέλη τάδε.

Φι. πῶς εἶπας; ἆρα δεύτερον δολούμεθα;

Νε. τοὔργον παρέσται φανερόν. ἀλλὰ δεξιὰν
    πρότεινε χεῖρα, καὶ κράτει τῶν σῶν ὅπλων.

Οδ. ἐγὼ δ' ἀπαυδῶ γ', ὡς θεοὶ ξυνίστορες,
15   ὑπέρ τ' Ἀτρειδῶν τοῦ τε σύμπαντος στρατοῦ.

SOPHOCLES

129

Violence is prevented and trust restored

ΦΙΛΟΚΤΗΤΗΣ ΟΔΥΣΣΕΥΣ ΝΕΟΠΤΟΛΕΜΟΣ

Φι. τέκνον, τίνος φώνημα, μῶν Ὀδυσσέως,
    ἐπῃσθόμην;   Οδ. σάφ' ἴσθι· καὶ πέλας γ' ὁρᾷς,
    ὅς σ' ἐς τὰ Τροίας πεδί' ἀποστελῶ βίᾳ,
    ἐάν τ' Ἀχιλλέως παῖς ἐάν τε μὴ θέλῃ.

5 Φι. ἀλλ' οὔ τι χαίρων, ἢν τόδ' ὀρθωθῇ βέλος.

Νε. ἆ, μηδαμῶς, μή, πρὸς θεῶν, μεθῇς βέλος.

Φι. μέθες με, πρὸς θεῶν, χεῖρα, φίλτατον τέκνον.

Νε. οὐκ ἂν μεθείην.   Φι. φεῦ· τί μ' ἄνδρα πολέμιον
    ἐχθρόν τ' ἀφείλου μὴ κτανεῖν τόξοις ἐμοῖς;

10 Νε. ἀλλ' οὔτ' ἐμοὶ τοῦτ' ἐστὶν οὔτε σοὶ καλόν.
    εἶεν. τὰ μὲν δὴ τόξ' ἔχεις, κοὐκ ἔσθ' ὅτου
    ὀργὴν ἔχοις ἂν οὐδὲ μέμψιν εἰς ἐμέ.

Φι. ξύμφημι. τὴν φύσιν δ' ἔδειξας, ὦ τέκνον,
    ἐξ ἧς ἔβλαστες, οὐχὶ Σισύφου πατρός,
    ἀλλ' ἐξ Ἀχιλλέως, ὃς μετὰ ζώντων θ' ὅτ' ἦν   15
    ἧκου' ἄριστα, νῦν τε τῶν τεθνηκότων.

SOPHOCLES

APPENDIX OF PAST
O LEVEL PAPERS

THE dates on which the papers were set are given beneath each piece, and the examining board indicated according to the following abbreviations:

O.C. Oxford and Cambridge Joint Board
L.   London Board
O.   Oxford Local Board
C.   Cambridge Local Board.

The authors are grateful to the above Boards for permission to reprint parts of papers set by them; the pieces are reproduced exactly as set.

130

A defendant, accused of murdering a fellow traveller, gives evidence that he had nothing to do with the latter's disappearance, but helped to search for him

ἐγὼ δὲ τὸν μὲν πλοῦν ἐποιησάμην ἐκ τῆς Μυτιλήνης, ὦ ἄνδρες, ἐν τῷ πλοίῳ πλέων ᾧ Ἡρώδης οὗτος, ὅν φασιν ὑπ᾽ ἐμοῦ ἀποθανεῖν. ἐπλέομεν δὲ εἰς τὴν Αἶνον. ἐνετύχομεν [1] δὲ χειμῶνί τινι, ὑφ᾽ οὗ ἠναγκάσθημεν εἰσπλεῦσαι εἰς τὴν Μήθυμναν, οὗ τοῦτο τὸ πλοῖον ἦν ἐν ᾧ φασὶν ἀποθανεῖν τὸν Ἡρώδην. ἐπειδὴ δὲ μετεξέβημεν [2] εἰς τὸ ἕτερον πλοῖον, ἐπίνομεν. καὶ ὁ μέν ἐστι φανερὸς ἐκβὰς ἐκ τοῦ πλοίου καὶ οὐκ εἰσβὰς πάλιν· ἐγὼ δὲ οὐκ ἐξέβην τοῦ πλοίου τῆς νυκτὸς ἐκείνης. τῇ δ᾽ ὑστεραίᾳ, ἐπειδὴ ἀφανὴς ἦν ὁ ἀνήρ, ἐζητεῖτο οὐδὲν μᾶλλον ὑπὸ τῶν ἄλλων ἢ καὶ ὑπ᾽ ἐμοῦ· καὶ εἴ τινι τῶν ἄλλων ἐδόκει δεινὸν εἶναι, καὶ ἐμοὶ ὁμοίως.

ANTIPHON

[1] ἐντυγχάνειν, = to meet with.   [2] μετεκβαίνειν, = to change ship.

O.C. July 1956

131

Dionysodorus, lying under sentence of death,
denounces Agoratus as a murderer

ἐπειδὴ τοίνυν, ὦ ἄνδρες δικασταί, θάνατος αὐτῶν κατεγνώσθη
καὶ ἔδει αὐτοὺς ἀποθνήσκειν, μεταπέμπονται εἰς τὸ δεσμωτήριον
ὁ μὲν ἀδελφήν, ὁ δὲ μητέρα, ὁ δὲ γυναῖκα, ἵνα τὰ ὕστατα ἀσπα-
σάμενοι¹ τοὺς αὑτῶν οὕτω τὸν βίον τελευτήσειαν. καὶ δὴ καὶ
Διονυσόδωρος μεταπέμπεται τὴν ἀδελφὴν τὴν ἐμὴν εἰς τὸ δεσμω-
τήριον, γυναῖκα ἑαυτοῦ οὖσαν. πυθομένη δὲ ἐκείνη ἀφικνεῖται,
μέλαν ἱμάτιον ἠμφιεσμένη, ὡς εἰκὸς ἦν ἐπὶ τῷ ἀνδρὶ αὐτῆς
τοιαύτῃ συμφορᾷ κεχρημένῳ. ἐναντίον δὲ τῆς ἀδελφῆς τῆς
ἐμῆς Διονυσόδωρος τά τε οἰκεῖα τὰ αὑτοῦ διέθετο² ὅπως αὐτῷ
ἐδόκει, καὶ περὶ Ἀγοράτου τουτουὶ ἔλεγεν ὅτι αἴτιος ἦν τοῦ
θανάτου, καὶ ἐπέσκηπτεν ἐμοὶ καὶ Διονυσίῳ τουτῳί, τῷ ἀδελφῷ
τῷ αὑτοῦ, καὶ τοῖς φίλοις πᾶσι τιμωρεῖν ὑπὲρ αὑτοῦ Ἀγόρατον.

LYSIAS (adapted)

¹ ἀσπάζεσθαι = to bid farewell to.   ² διατίθεσθαι = to dispose of.

O.C. July 1959

132

The Arcadians withstand two Spartan
attacks, then counter-attack and take up
position: just as a full-scale engagement is
about to take place, a truce is made

ὡς δὲ εἶδον οἱ τῶν Λακεδαιμονίων πελτασταὶ τοὺς Ἀρκάδας,
ἐπιτίθενται αὐτοῖς· οἱ δὲ Ἀρκάδες οὐκ ἐνέκλιναν,¹ ἀλλὰ συντε-
ταγμένοι ἡσυχίαν εἶχον. οἱ δὲ Λακεδαιμόνιοι πάλιν ἐνέβαλον·
ἐπεὶ δὲ οὐδὲ τότε ἐνέκλιναν οἱ Ἀρκάδες ἀλλὰ καὶ ἐπῇσαν, ἐβοή-
θει αὐτὸς ὁ Ἀρχίδαμος, πορευόμενος κατὰ τὴν ἐπὶ Κρῶμνον
φέρουσαν ὁδόν. ὡς δὲ ἐπλησίασαν ἀλλήλοις, οἱ μὲν σὺν τῷ

Ἀρχιδάμῳ κατὰ κέρας [2] προϊόντες ἅτε κατὰ ὁδὸν πορευόμενοι, οἱ
δὲ Ἀρκάδες ἀθρόοι συνασπιδοῦντες,[3] ἐν τούτῳ οὐκέτι ἐδύναντο οἱ
Λακεδαιμόνιοι ἀντέχειν τῷ τῶν Ἀρκάδων πλήθει. ὡς δὲ κατὰ
τὴν ὁδὸν ἀναχωροῦντες εἰς τὴν εὐρυχωρίαν ἐξῆλθον οἱ Λακεδαι-
μόνιοι, ἐνταῦθα δὴ ἀντιπαρετάξαντο· καὶ μὴν οἱ Ἀρκάδες, ὥσπερ
εἶχον συντεταγμένοι, ἔστασαν. καὶ πλήθει μὲν ἐλείποντο[4] οἱ
Ἀρκάδες, εὐθυμότερον δὲ πολὺ εἶχον· οἱ δὲ Λακεδαιμόνιοι μάλα
ἠθύμουν. πλησίον δὲ ὄντων τῶν Ἀρκάδων, ἀναβοήσας τις τῶν
πρεσβυτέρων εἶπε· Τί δεῖ ἡμᾶς, ὦ ἄνδρες, μάχεσθαι, ἀλλὰ οὐ
σπεισαμένους διαλυθῆναι; καὶ ἄσμενοι δὴ ἀμφότεροι ἀκούσαντες
ἐσπείσαντο.

XENOPHON (adapted)

¹ ἐγκλίνειν = to give way.   ² κατὰ κέρας = in column.
³ συνασπιδοῦν = to keep shields close together.   ⁴ λείπεσθαι = to be
inferior.

O.C. July 1961

133

A Spartan attack on the Peiraeus is aban-
doned in favour of an assault on Salamis.
Even so, great panic is caused at Athens

ὁ δὲ Κνῆμος καὶ ὁ Βρασίδας ἀρχομένου τοῦ χειμῶνος ἐβού-
λοντο ἀποπειρᾶσαι [1] τοῦ Πειραιῶς τοῦ λιμένος τῶν Ἀθηναίων.
ἐκέλευσαν οὖν ἕκαστον τῶν ναυτῶν λαβόντα τὴν κώπην [2] πεζῇ
ἰέναι ἐκ Κορίνθου καὶ καθελκύσαντας ἐκ Νισαίας τεσσαράκοντα
ναῦς αἳ ἔτυχον αὐτόθι οὖσαι πλεῦσαι εὐθὺς ἐπὶ τὸν Πειραιᾶ. καὶ
ἀφικόμενοι νυκτὸς καὶ καθελκύσαντες τὰς ναῦς ἐπὶ μὲν τὸν Πειραιᾶ
οὐκ ἔπλεον, δείσαντες τὸν κίνδυνον, ἐπὶ δὲ τὸ ἀκρωτήριον [3] τῆς
Σαλαμῖνος τὸ πρὸς Μέγαρα ὁρῶν. καὶ φρούριον ἐπ' αὐτοῦ ἦν
καὶ νεῶν τριῶν φυλακὴ ὥστε μὴ ἐσπλεῖν ἐς τὰ Μέγαρα μηδένα.
τῷ δὲ φρουρίῳ προσέβαλον καὶ τὰς τριήρεις ἀφείλκυσαν κενάς, τήν
τε ἄλλην Σαλαμῖνα ἀπροσδοκήτως ἐπόρθουν. ἐν δὲ ταῖς Ἀθηναῖς

ἔκπληξις ἐγένετο μεγίστη. οἱ μὲν γὰρ ἐν τῷ ἄστει ᾤοντο τοὺς
πολεμίους ἐς τὸν Πειραιᾶ ἐσπεπλευκέναι ἤδη, οἱ δ' ἐν τῷ Πειραιεῖ
τὴν Σαλαμῖνα ᾑρῆσθαι.

THUCYDIDES (adapted and with omissions)

¹ ἀποπειρᾶν = to make a raid on. ² κώπη = oar.
³ ἀκρωτήριον = headland.

134

The Corcyreans are blockaded by the Spartan commander Mnasippus, and appeal for help to the Athenians

καὶ ὁ μὲν δὴ Μνάσιππος ἔπλευσεν εἰς τὴν Κέρκυραν, ἔχων
μισθοφόρους σὺν τοῖς ἐκ Λακεδαίμονος μετὰ αὐτοῦ στρατευο-
μένοις οὐκ ἐλάττους χιλίων καὶ πεντακοσίων. ἐπεὶ δὲ ἀπέβη,
ἐκράτει τε τῆς γῆς καὶ ἐδῄου. ἔπειτα δὲ τὸ μὲν πεζὸν κατεστρατο-
πέδευσεν ¹ ἐπὶ λόφῳ ἀπέχοντι τῆς πόλεως ὡς πέντε στάδια, τὸ δὲ
ναυτικὸν εἰς τὰ ἐπὶ θάτερα ² τῆς πόλεως. πρὸς δὲ τούτοις καὶ ἐπὶ
τῷ λιμένι, ὁπότε μὴ χειμὼν κωλύοι, ἐφώρμει.³ ἐπολιόρκει μὲν
οὕτω δὴ τὴν πόλιν. ἐπεὶ δὲ οἱ Κερκυραῖοι ἐκ μὲν τῆς γῆς οὐδὲν
ἐλάμβανον διὰ τὸ κρατεῖσθαι κατὰ γῆν, κατὰ θάλατταν δὲ οὐδὲν
εἰσήγετο αὐτοῖς διὰ τὸ ναυκρατεῖσθαι, ἐν πολλῇ ἀπορίᾳ ἦσαν.
καὶ πέμποντες πρὸς τοὺς Ἀθηναίους βοηθεῖν ἐδέοντο, καὶ ἐδίδα-
σκον ὡς μέγα μὲν ἀγαθὸν ἀποβάλοιεν ἄν, εἰ Κερκύρας στερηθεῖεν,
τοῖς δὲ πολεμίοις μεγάλην ἂν ἰσχὺν προσβάλοιεν. ἀκούσαντες δὲ
ταῦτα οἱ Ἀθηναῖοι ἐνόμισαν ἰσχυρῶς βοηθητέον εἶναι, καὶ
στρατηγὸν πέμπουσι Κτησικλέα εἰς ἑξακοσίους ἔχοντα πελταστάς·
καὶ οὗτοι νυκτὸς διακομισθέντες εἰσῆλθον εἰς τὴν πόλιν.

XENOPHON (adapted and with omissions)

¹ καταστρατοπεδεύειν = to station. ² τὰ ἐπὶ θάτερα = the other
side. ³ ἐφορμεῖν (+dative) = to anchor off.

135

An unsuccessful attempt by Hegestratus and
Zenothemis to scuttle a ship

ὁ μὲν οὖν Ἡγέστρατος, ὡς ἀπὸ τῆς γῆς ἀπῆραν δυοῖν ἢ τριῶν
ἡμερῶν πλοῦν, καταβὰς τῆς νυκτὸς εἰς κοίλην ναῦν [1] διέκοπτε
τοῦ πλοίου τὸ ἔδαφος.[2] ὁ δὲ Ζηνόθεμις, ὡς οὐδὲν εἰδώς, ἄνω
μετὰ τῶν ἄλλων ἔμενεν. ψόφου δὲ γενομένου αἰσθάνονται οἱ ἐν
τῷ πλοίῳ ὅτι κακόν τι ἐν κοίλῃ νηὶ γίγνεται, καὶ βοηθοῦσι
κάτω. ὡς δὲ ἡλίσκετο ὁ Ἡγέστρατος, φεύγει καὶ διωκόμενος
ῥίπτει αὑτὸν εἰς τὴν θάλατταν, ἁμαρτὼν δὲ τοῦ λέμβου [3] διὰ τὸ
νύκτα εἶναι ἀπεπνίγη. ἐκεῖνος μὲν οὖν οὕτως, ὥσπερ ἄξιος ἦν,
κακὸς κακῶς ἀπώλετο, ἃ τοὺς ἄλλους ἐπεβούλευσε ποιῆσαι,
ταῦτα παθὼν αὐτός. οὗτος δ' ὁ κοινωνὸς αὐτοῦ καὶ συνεργός,
ὡς οὐδὲν εἰδὼς ἀλλ' ἐκπεπληγμένος καὶ αὐτός, ἔπειθε τοὺς
ναύτας εἰς τὸν λέμβον ἐκβαίνειν καὶ ἐκλείπειν τὴν ναῦν, ὡς
ἀνελπίστου τῆς σωτηρίας οὔσης καὶ τῆς νεὼς αὐτίκα δυσομένης.
τῶν δὲ συμπλεόντων μισθοὺς τοῖς ναυταῖς, εἰ διασώσειαν τὴν
ναῦν, ὑποσχομένων ἡ ναῦς ἐσώθη εἰς Κεφαλληνίαν.

[1] κοίλη ναῦς = ship's hold.   [2] ἔδαφος = ship's bottom.
[3] λέμβος = dinghy.

L. Summer 1966

136

Demosthenes argues that the function of the
orator is only to give good advice

ἤδη τοίνυν τινὸς ἤκουσα τοιοῦτόν τι λέγοντος, ὡς ἄρ' ἐγὼ
λέγω μὲν ἀεὶ τὰ βέλτιστα, ἔστιν δ' οὐδὲν ἀλλ' ἢ λόγοι τὰ παρ'
ἐμοῦ, δεῖ δ' ἔργων τῇ πόλει καὶ πράξεώς τινος. ἐγὼ δ' ὡς ἔχω
περὶ τούτων, λέξω πρὸς ὑμᾶς καὶ οὐκ ἀποκρύψομαι. οὐδ' εἶναι

νομίζω τοῦ συμβουλεύοντος ὑμῖν ἔργον οὐδὲν πλὴν εἰπεῖν τὰ
βέλτιστα. καὶ τοῦθ' ὅτι τοῦτον ἔχει τὸν τρόπον ῥαδίως οἶμαι
δείξειν. ὥστε γὰρ δήπου τοῦθ' ὅτι Τιμόθεός ποτ' ἐκεῖνος ἐν
ὑμῖν ἐδημηγόρησεν ὡς δεῖ βοηθεῖν καὶ τοὺς Εὐβοέας σῴζειν,
ὅτε Θηβαῖοι κατεδουλοῦντ' αὐτούς, καὶ λέγων εἶπεν οὕτω πως·
"εἰπέ μοι, βουλεύεσθε," ἔφη, "Θηβαίους ἔχοντες ἐν νήσῳ, τί
χρήσεσθε καὶ τί δεῖ ποιεῖν; οὐκ ἐμπλήσετε τὴν θάλατταν, ὦ
ἄνδρες Ἀθηναῖοι, τριήρων; οὐκ ἀναστάντες ἤδη πορεύσεσθ' εἰς
τὸν Πειραιᾶ; οὐ καθέλξετε τὰς ναῦς;" οὐκοῦν εἶπε μὲν ταῦθ'
ὁ Τιμόθεος, ἐποιήσατε δ' ὑμεῖς· ἐκ δὲ τούτων ἀμφοτέρων τὸ
πρᾶγμ' ἐπράχθη.

L. Summer 1967

137

Xenophon answers accusations that he in-
tends to lead his army to the Phasis instead of
to Greece

ἀκούω τινὰ διαβάλλειν, ὦ ἄνδρες, ἐμὲ ὡς ἐγὼ ἄρα ἐξαπατήσας
ὑμᾶς μέλλω ἄγειν εἰς Φᾶσιν. ἀκούσατε οὖν μου πρὸς θεῶν, καὶ
ἐὰν μὲν ἐγὼ φαίνωμαι ἀδικεῖν, οὐ χρή με ἐνθένδε ἀπελθεῖν πρὶν
ἂν δῶ δίκην· ἐὰν δ' ὑμῖν φαίνωνται ἀδικεῖν οἱ ἐμὲ διαβάλλοντες,
οὕτως αὐτοῖς χρῆσθε ὥσπερ ἄξιον. ὑμεῖς δέ, ἔφη, ἴστε δήπου
ὅθεν ἥλιος ἀνίσχει καὶ ὅπου δύεται, καὶ ὅτι ἐὰν μέν τις εἰς τὴν
Ἑλλάδα μέλλῃ ἰέναι, πρὸς ἑσπέραν δεῖ πορεύεσθαι· ἐὰν δέ τις
βούληται εἰς τοὺς βαρβάρους, τοὔμπαλιν πρὸς ἕω. ἔστιν οὖν
ὅστις τοῦτο ἂν δύναιτο ὑμᾶς ἐξαπατῆσαι, ὡς ἥλιος ἔνθεν μὲν
ἀνίσχει δύεται ἐνταῦθα, ἔνθα δὲ δύεται, ἀνίσχει ἐντεῦθεν;
ἀλλὰ μὴν καὶ τοῦτό γε ἐπίστασθε ὅτι βορέας μὲν ἔξω τοῦ
Πόντου εἰς τὴν Ἑλλάδα φέρει, νότος δὲ εἴσω εἰς Φᾶσιν, καὶ
λέγεται, ὅταν βορέας πνέῃ, ὡς καλοὶ πλοῖ εἰσιν εἰς τὴν Ἑλλάδα.

L. Summer 1967

138

On his way back to Persia Cyrus calls on
Cyaxares, who offers him his daughter in
marriage. Cyrus replies that he would like
his parents' approval before accepting

ἐντεῦθεν πορευόμενοι ἔρχονται εἰς τὴν Μηδίαν, καὶ τρέπεται
ὁ Κῦρος πρὸς Κυαξάρην. ἐπεὶ δὲ ἠσπάσαντο¹ ἀλλήλους, Κῦρος
ἔδωκεν αὐτῷ δῶρα πολλὰ καὶ καλά. ὁ δὲ Κυαξάρης ταῦτα μὲν
ἐδέχετο, προσέπεμψε δὲ αὐτῷ τὴν θυγατέρα στέφανόν τε χρυσοῦν
φέρουσαν καὶ στολὴν Μηδικὴν καλλίστην. καὶ ἡ μὲν παῖς ἐστεφάνου
τὸν Κῦρον, ὁ δὲ Κυαξάρης εἶπε· "Δίδωμί σοι, ὦ Κῦρε, καὶ αὐτὴν
ταύτην γυναῖκα, ἐμὴν οὖσαν θυγατέρα, καὶ μετ' αὐτῆς δίδωμί σοι
καὶ φερνὴν² πᾶσαν τὴν Μηδίαν. αὕτη δ' ἐστὶν ἣν σὺ πολλάκις παῖς
ὢν ὅτε παρ' ἡμῖν ἦσθα ἐτιθηνήσω.³ καὶ ὁπότε τις ἐρωτώῃ αὐτὴν
τίνι βούλοιτο γαμεῖσθαι, ἔλεγεν ὅτι Κύρῳ." ὁ δὲ Κῦρος ἡδέως
ἀκούσας ἀπεκρίνατο· "Ἀλλ', ὦ Κυαξάρη, τήν τε παῖδα ἐπαινῶ
καὶ τὰ δῶρα· βούλομαι δὲ σὺν τῇ τοῦ πατρὸς γνώμῃ καὶ τῇ τῆς
μητρὸς ταῦτα δέχεσθαι." εἶπε μὲν οὖν οὕτως ὁ Κῦρος, τῇ δὲ παιδὶ
πάντα ἐδωρήσατο ὁπόσα ᾤετο αὐτῇ χαριεῖσθαι.⁴ ταῦτα δὲ
ποιήσας εἰς Πέρσας ἐπορεύετο.

¹ ἀσπάζομαι = I embrace.　　² φερνή = dowry.　　³ τιθηνοῦμαι =
I nurse.　　⁴ χαρίζομαι = I gratify, please.

O. Autumn 1964

139

Thrasybulus encourages his men before the
final battle of the civil war, and then, to en-
sure the fulfilment of a prophecy, contrives
that he is the first to be killed

Θρασύβουλος οὖν, ἐν μέσῳ στὰς τῶν στρατιωτῶν, ἔλεξεν·
"Ἄνδρες πολῖται, τῶν ἐναντίων τοὺς μὲν τὸ δεξιὸν ἔχοντας ὑμεῖς

ἡμέραν ἤδη πέμπτην ἐτρέψασθε, οἱ δὲ ἐπὶ τοῦ εὐωνύμου ἐκεῖνοί
εἰσιν οἳ ἡμᾶς καὶ πόλεως ἀπεστέρουν¹ οὐδὲν ἀδικοῦντας καὶ οἰκιῶν
τῶν ἡμετέρων ἐξήλαυνον. ὑμᾶς οὖν τοῦτο χρὴ ποιεῖν ὅ τι ἂν
ἕκαστος νομίζῃ ἀξιώτατον εἶναι τῆς νίκης. αὕτη γὰρ ἡμῖν, ἐὰν θεὸς
θέλῃ, νῦν ἀποδώσει καὶ πατρίδα καὶ οἴκους καὶ ἐλευθερίαν. ἐγὼ
οὖν, ὅταν καιρὸς ᾖ, ἐξάρξω τὸν παιᾶνα,² καὶ τότε πάντες ἀνθ᾽ ὧν
πεπόνθαμεν τιμωρησόμεθα τοὺς ἄνδρας." ταῦτα δ᾽ εἰπὼν καὶ
μεταστραφεὶς πρὸς τοὺς ἐναντίους, ἡσυχίαν εἶχε· καὶ γὰρ οἱ μάντεις
παρήγγειλαν αὐτοῖς μὴ πρότερον ἐπιτίθεσθαι πρὶν αὐτῶν τις ἢ
πέσοι ἢ τρωθείη· "ἐπειδὰν δέ", ἔφη, "τοῦτο γένηται, ἡμεῖς μὲν
ἡγησόμεθα, νίκη δ᾽ ὑμῖν ἔσται ἑπομένοις, ἐμοὶ μέντοι θάνατος, ὥς
γέ μοι δοκεῖ." καὶ οὐκ ἐψεύσατο, ἀλλ᾽ ἐπεὶ ἀνέλαβον τὰ ὅπλα,
αὐτὸς μὲν ἐκπηδήσας³ πρῶτος ἐμπεσὼν τοῖς πολεμίοις ἀπο-
θνήσκει· οἱ δ᾽ ἄλλοι ἐνίκων καὶ κατεδίωξαν αὐτοὺς μέχρι τοῦ
πεδίου.

¹ ἀποστερῶ = I deprive.   ² παιάν = battle-cry.   ³ ἐκπηδῶ =
I leap forward.

O. Summer 1965

140

Why the Persians invaded Europe, and why
they chose to deal with Athens first, and how
the Athenians reacted

ὁ γὰρ τῆς Ἀσίας βασιλεὺς οὐκ ἐξαρκεῖν¹ νομίζων τὰ ὑπάρ-
χοντα κτήματα, ἀλλ᾽ ἐλπίζων καὶ τὴν Εὐρώπην δουλώσεσθαι,
στρατιὰν ἔστειλε μεγάλην. ἡγησάμενοι δὲ οἱ Πέρσαι, εἰ τοὺς
Ἀθηναίους ἢ ἑκόντας φίλους ποιήσαιντο ἢ ἄκοντας κατα-
στρέψαιντο, ῥᾳδίως τῶν ἄλλων Ἑλλήνων ἄρξειν, ἀπέβησαν εἰς
Μαραθῶνα· οὕτω γὰρ ἐνόμιζον ἐρημοτάτους ἔσεσθαι τοὺς
Ἀθηναίους συμμάχων, εἰ στασιάζοιεν² αἱ ἄλλαι πόλεις ᾧ τινι
τρόπῳ χρὴ τοὺς ἐπιόντας ἀμύνασθαι. ἐλογίζοντο δὲ ὅτι, εἰ μὲν
πρότερον ἐπ᾽ ἄλλην πόλιν ἴασιν, οἱ Ἀθηναῖοι προθύμως τοῖς

ἀδικουμένοις ἥξουσι βοηθήσοντες· εἰ δ' ἐνθάδε πρῶτον ἀφίξονται,
οὐδένας ἄλλους τῶν Ἑλλήνων τολμήσειν τοῖς Ἀθηναίοις βοη-
θοῦντας εἰς φανερὰν ἔχθραν ἐλθεῖν τοῖς Πέρσαις. οἱ μὲν ταῦτα
διενοοῦντο· οἱ δ' Ἀθηναῖοι οὐδὲν φροντίζοντες τῶν κινδύνων,
ἀλλὰ νομίζοντες εἰ εὐκλεῶς ἀποθάνοιεν ἀθάνατον δόξαν κτήσε-
σθαι, οὐκ ἐφοβήθησαν τὸ πλῆθος τῶν ἐναντίων.

¹ ἐξαρκεῖν = to be sufficient.   ² στασιάζειν = to disagree.

O. Autumn 1966

141

Lysias describes how Peison came to arrest him and
agreed to let him go in return for a talent of silver,
but robbed him of much more

καὶ ἐμὲ μὲν φίλους ἑστιῶντα ¹ οὗτοι εὗρον, οὓς ἐξελάσαντες
Πείσωνί με παρέδωκαν· οἱ δὲ ἄλλοι εἰς τὸ ἐργαστήριον ² ἐλθόντες
τὰ τῶν δούλων ὀνόματα ἔγραφον. ἐγὼ δὲ Πείσωνα μὲν ἠρώτων
εἰ βούλοιτό με σῶσαι χρήματα λαβών· ὁ δ' ἔφασκεν ἐθέλειν, εἰ
πολλὰ εἴη. εἶπον οὖν ὅτι τάλαντον ἀργυρίου ἕτοιμος εἴην δοῦναι·
ὁ δ' ἔφη ταῦτα ποιήσειν. ἤδη μὲν οὖν ὅτι οὔτε θεοὺς οὔτε ἀνθρώ-
πους τιμᾷ, ὅμως δ' ἐκ τῶν παρόντων ἐδόκει μοι ἀναγκαιότατον
εἶναι ὅρκον παρ' αὐτοῦ λαβεῖν. ἐπειδὴ δὲ ὤμοσεν, θάνατον ἑαυτῷ
καὶ τοῖς παισὶν ἐπαρώμενος,³ λαβὼν τὸ τάλαντόν με σώσειν,
εἰσελθὼν εἰς τὸ ἐργαστήριον τὴν κιβωτὸν ⁴ ἀνέῳξα· Πείσων δὲ
αἰσθόμενος εἰσῆλθε καὶ ἰδὼν τὰ ἐνόντα ἐκάλεσε τῶν ἑταίρων δύο,
καὶ τὰ ἐν τῇ κιβωτῷ λαβεῖν ἐκέλευσεν. ἐπεὶ δὲ οὐ μόνον ἃ
ὑπεσχόμην εἶχεν ἀλλὰ τρία τάλαντα ἀργυρίου καὶ πολλὰ πρὸς
τούτοις, ᾔτησα αὐτὸν ἐφόδιά ⁵ μοι δοῦναι, ὁ δ' ἔφασκέ με
εὐδαίμονα ἔσεσθαι εἰ τὸν βίον σώσω.

LYSIAS

¹ ἑστιᾶν = to entertain.   ² ἐργαστήριον = a factory.   ³ ἐπαρᾶ-
σθαι = to call down a curse.   ⁴ κιβωτός = a chest.   ⁵ ἐφόδια
(n.) = money for a journey.

C. July 1962

142

When the Athenian left wing flees Brasidas attacks the right and is wounded. Cleon is killed in flight while his right wing stands firm, but the whole Athenian army is eventually routed and the survivors escape to Eion. Brasidas dies after hearing news of the Spartan victory

τοῦ δὲ τῶν Ἀθηναίων εὐωνύμου κέρατος φεύγοντος ὁ Βρασίδας προσβαλεῖν τῷ δεξιῷ μέλλων ἐτρώθη, καὶ πεσόντα αὐτὸν οἱ μὲν Ἀθηναῖοι οὐκ ᾔσθοντο, οἱ δὲ φίλοι ἄραντες [1] αὐτὸν ἐκ τῆς μάχης ἀπήνεγκαν· τὸ δὲ δεξιὸν τῶν Ἀθηναίων ἔμενε μᾶλλον, καὶ ὁ μὲν Κλέων, ὃς οὐδέποτε ἐβουλεύσατο μάχεσθαι, εὐθὺς φεύγων καὶ καταληφθεὶς ὑπὸ πολεμίων τινὸς ἀπέθανεν. οἱ δὲ ὁπλῖται αὐτοῦ ξυστραφέντες [2] τούς τε Λακεδαιμονίους δὶς ἢ τρὶς προσβαλόντας ἠμύναντο, καὶ οὐ πρότερον ἐνέδοσαν πρὶν οἵ τε τῶν πολεμίων ἱππεῖς καὶ οἱ πελτασταὶ περιστάντες καὶ δόρατα βάλλοντες αὐτοὺς ἔτρεψαν. οὕτω δὴ τὸ στράτευμα πᾶν τῶν Ἀθηναίων ἔφυγε, καὶ οἱ λοιποὶ πολλαῖς ὁδοῖς κατὰ τὰ ὄρη πορευθέντες, ὅσοι μὴ διεφθάρησαν ἢ εὐθὺς ἐν μάχῃ ἢ ὑπὸ τῶν ἱππέων καὶ τῶν πελταστῶν, ἐς τὴν Ἠιόνα ἀφίκοντο. οἱ δὲ τὸν Βρασίδαν ἄραντες ἐκ τῆς μάχης καὶ διασώσαντες ἐς τὴν πόλιν ἔτι ἔμπνουν [3] ἐσεκόμισαν. καὶ ᾔσθετο μὲν ὅτι ἐνίκησαν οἱ μεθ᾽ ἑαυτοῦ, οὐ πολλῷ δὲ ὕστερον ἀπέθανεν.

THUCYDIDES

[1] αἴρειν = to pick up. [2] ξυστρέφεσθαι = to rally. [3] ἔμπνους = alive.

C. July 1964

143

The Spartan admiral rejects the advice of his
helmsman to flee and is lost overboard. The
Athenians win a decisive victory and pick up
survivors from their own disabled ships

εἶχε δὲ τὸ δεξιὸν κέρας Καλλικρατίδας, ὁ δὲ κυβερνήτης εἶπε
πρὸς αὐτὸν ὅτι δεῖ ἀποπλεῦσαι· αἱ γὰρ τριήρεις τῶν Ἀθηναίων
πολλῷ πλέονες ἦσαν. Καλλικρατίδας δὲ εἶπεν ὅτι ἡ Σπάρτη
οὐδὲν κάκιον πείσεται αὐτοῦ ἀποθανόντος, φεύγειν δὲ αἰσχρὸν
ἔφη εἶναι. μετὰ δὲ ταῦτα ἐναυμάχησαν χρόνον πολύν, πρῶτον
μὲν πᾶσαι ὁμοῦ, ἔπειτα δὲ διεσκεδασμέναι. ἐπεὶ δὲ Καλλικρατίδας
ἐμβαλούσης τῆς νεὼς ἀποπεσὼν εἰς τὴν θάλατταν ἠφανίσθη,
Πρωτόμαχός τε καὶ οἱ μετ᾽ αὐτοῦ Ἀθηναῖοι τῷ δεξιῷ τοὺς
πολεμίους ἐνίκησαν, ἐντεῦθεν φυγὴ τῶν Πελοποννησίων ἐγένετο
ἐπὶ Χίον, πλείστων δὲ καὶ εἰς Φώκαιαν· οἱ δὲ Ἀθηναῖοι πάλιν εἰς
τὰς Ἀργινούσας κατέπλευσαν. ἀπώλοντο δὲ τῶν μὲν Ἀθηναίων
νῆες πέντε καὶ εἴκοσιν αὐτοῖς ἀνδράσιν, ἐκτὸς ὀλίγων τῶν πρὸς
τὴν γῆν προσενεχθέντων, τῶν δὲ πολεμίων Λακωνικαὶ μὲν
ἐννέα, τῶν πασῶν οὐσῶν δέκα, τῶν δ᾽ ἄλλων συμμάχων
πλείους ἢ ἑξήκοντα. ἔδοξε δὲ τοῖς τῶν Ἀθηναίων στρατηγοῖς
δύο τριηράρχους πλεῖν ἐπὶ τὰς καταδεδυκυίας ναῦς καὶ τοὺς ἐπ᾽
αὐτῶν ἀνθρώπους.

XENOPHON

C. *July 1967*

144

Strepsiades wakes up his son Pheidippides
to tell him that he must go for lessons in
knavery to the 'Thinkery' of Socrates

Στ. νῦν οὖν ὅλην τὴν νύκτα φροντίζων, ὁδὸν
μίαν εὗρον, ἀτραπὸν [1] δαιμονίως ὑπερφυᾶ.[2]
ἀλλὰ ἐξεγεῖραι πρῶτον αὐτὸν βούλομαι.
Φειδιππίδη, Φειδιππίδιον.

Φει.   τί, ὦ πάτερ;

Στ. κύσον με καὶ τὴν χεῖρα δὸς τὴν δεξιάν.
    εἴπερ με σῆς ἐκ καρδίας ὄντως φιλεῖς,
    ὦ παῖ, πιθοῦ.

Φει.   τί οὖν πίθωμαι δῆτά σοι;

Στ. ἔκστρεψον ὡς τάχιστα τοὺς σαυτοῦ τρόπους,
    καὶ μάνθανε ἐλθὼν ἃ ἂν ἐγὼ παραινέσω.

Φει. λέγε δή, τί κελεύεις;

Στ.   καὶ σὺ πείσει;

Φει.   πείσομαι,
    νὴ τὸν Διόνυσον.

Στ.   δεῦρο νῦν ἀπόβλεπε.
    ὁρᾷς τὸ θύριον τοῦτο καὶ τὸ οἰκίδιον;
    ψυχῶν σοφῶν τοῦτό ἐστι φροντιστήριον.

                                        ARISTOPHANES

¹ ἀτραπός = path.   ² ὑπερφυής = magnificent.

O.C. July 1961

145

Euripides gives Mnesilochus a shave before
dressing him up as a woman

Ευ. ἄγε νῦν, ἐπειδὴ σαυτὸν ἐπιδίδως ἐμοί,
    ἀπόδυθι τουτὶ τὸ ἱμάτιον.

Μν.   καὶ δὴ χαμαί.
    ἀτὰρ τί μέλλεις δρᾶν με;

Ευ.   ἀποξύρειν γνάθους.
    κάθιζε· φύσα ¹ τὴν γνάθον τὴν δεξιάν.

Μν. ὤμοι.

Ευ.   τί κέκραγας; ἐμβαλῶ σοι πάτταλον ²
    ἢν μὴ σιωπᾷς.

Μν.   ἀτταταῖ ἰατταταῖ.

οὔ τοι μὰ τὴν Δήμητρά γ' ἐνταυθοῖ μενῶ
τεμνόμενος.

Ευ.   οὔκουν καταγέλαστος δῆτ' ἔσει
τὴν ἡμίκραιραν τὴν ἑτέραν ψιλὴν [3] ἔχων;

Μν. ὀλίγον μέλει μοι.

Ευ.   μηδαμῶς πρὸς τῶν θεῶν
προδῷς με· χώρει δεῦρο.

Μν.   κακοδαίμων ἐγώ.

Ευ. ἔχ' ἀτρέμα [4] σαυτὸν καὶ ἀνάκυπτε·[5] ποῖ στρέφει;

Μν. μῦ μῦ.

Ευ.   τί μύζεις; πάντα πεποίηται καλῶς.

ARISTOPHANES (adapted and with omissions)

---

[1] φυσᾶν = blow out.   [2] πάτταλος = gag.   [3] ψιλός = clean-shaven.   [4] ἀτρέμα = still (adv.).   [5] ἀνακύπτειν (here) = lean back.

O.C. July 1963

146

Chremes tells Blepyrus that a young man has
proposed in the assembly that the govern-
ment of the city shall be handed over to the
women

Χρ. μετὰ τοῦτο τοίνυν εὐπρεπὴς νεανίας
λευκός τις ἀνεπήδησε ὅμοιος Νικίᾳ
δημηγορήσων,[1] καὶ ἐπεχείρησεν λέγειν
ὡς χρὴ παραδοῦναι ταῖς γυναιξὶ τὴν πόλιν.
εἶτα ἐθορύβησεν καὶ ἀνέκραγεν ὡς εὖ λέγοι
τὸ σκυτοτομικὸν [2] πλῆθος· οἱ δὲ ἐκ τῶν ἀγρῶν
ἀνεβορβόρυξαν.[3]

Βλ.   νοῦν γὰρ εἶχον, νὴ Δία.
τί δῆτα ἔδοξεν;

Χρ.   ἐπιτρέπειν γε τὴν πόλιν
ταύταις. ἐδόκει γὰρ τοῦτο μόνον ἐν τῇ πόλει
οὔπω γεγενῆσθαι.

Βλ.   καὶ δέδοκται;
Χρ.   φημὶ ἐγώ.
Βλ. ἅπαντά τε αὐταῖς ἐστὶ προστεταγμένα
ἃ τοῖσιν ἀστοῖς [4] ἔμελεν;
Χρ.   οὕτω τοῦτο ἔχει.
Βλ. οὐδὲ ἐς δικαστήριον ἄρα εἶμι, ἀλλὰ ἡ γυνή;

ARISTOPHANES (adapted)

[1] δημηγορεῖν = deliver a speech.   [2] τὸ σκυτοτομικὸν πλῆθος = the
mob of artisans (literally 'of cobblers'), cobbler gang.
[3] ἀναβορβορύζω = grumble aloud.   [4] ἀστός = citizen.

O.C. December 1964

147

Dicaeopolis protests, as the peace-envoys,
returned at last from Persia, tell the Athenian
Assembly of their leisurely and luxurious
travels

Πρ. ἐπέμψατε ἡμᾶς ὡς βασιλέα τὸν μέγαν,
μισθὸν διδόντες δύο δραχμὰς τῆς ἡμέρας
ἐπὶ Εὐθυμένους ἄρχοντος.

Δι.   οἴμοι τῶν δραχμῶν.

Πρ. καὶ δῆτα ἐτρυχόμεθα[1] διὰ τῶν Καϋστρίων
πεδίων ὁδοιποροῦντες ἐσκηνωμένοι,[2]
ἐπὶ ἁρμαμαξῶν μαλθακῶς κατακείμενοι.
ξενιζόμενοι δὲ πρὸς βίαν ἐπίνομεν
ἐξ ὑαλίνων[3] ἐκπωμάτων καὶ χρυσίδων
ἄκρατον οἶνον ἡδύν.

Δι.   ὦ πόλις πόλις,
ἆρα αἰσθάνει τὸν κατάγελων τῶν πρέσβεων;

Πρ. οἱ βάρβαροι γὰρ ἄνδρας ἡγοῦνται μόνους
τοὺς πλεῖστα δυναμένους καταφαγεῖν καὶ πιεῖν.
ἔτει τετάρτῳ δ' εἰς τὰ βασίλεια ἤλθομεν.

ARISTOPHANES (adapted)

[1] *τρύχεσθαι* = to wear oneself out.   [2] *σκηνοῦν* = to cover with awn-
ings.   [3] *ὑάλινος* = crystal.

O.C. December 1965

148

Praxagora, disguised as a man, urges the assembly
to hand over the government to women, who would
do the job much better

ἢν οὖν ἐμοὶ πίθησθε, σωθήσεσθε ἔτι·
ταῖς γὰρ γυναιξὶ φημὶ χρῆναι τὴν πόλιν
ἡμᾶς παραδοῦναι. καὶ γὰρ ἐν ταῖς οἰκίαις
ταύταις ἐπιτρόποις καὶ ταμίαισι [1] *χρώμεθα.*
ταύταισιν οὖν, ὦ ἄνδρες, παραδόντες τὴν πόλιν,
ἐῶμεν ἄρχειν, σκεψάμενοι ταυτὶ [2] *μόνα,*
ὡς τοὺς στρατιώτας πρῶτον, οὖσαι μητέρες,
σῴζειν ἐπιθυμήσουσιν· εἶτα σιτία
τίς τῆς τεκούσης μᾶλλον ἐπιπέμψειεν ἄν;
χρήματα πορίζειν εὐπορώτατον [3] *γυνή,*
ἄρχουσά τε οὐκ ἂν ἐξαπατηθείη ποτέ·
τὰ δὲ ἄλλα ἐάσω. ταῦτα ἐὰν πίθησθέ μοι,
εὐδαιμονοῦντες τὸν βίον διάξετε.

ARISTOPHANES

[1] *ταμίας* = treasurer.   [2] *ταυτί* = *ταῦτα.*   [3] *εὐπορώτατον* = a most
resourceful creature.

O.C. July 1966

149

Electra is told by her sister what the authorities intend to do if she persists in mourning for their father, and bitterly welcomes her threatened fate

Χρ. ἀλλ᾽ ἐξερῶ σοι πᾶν ὅσον κάτοιδ᾽ ἐγώ.
μέλλουσι γάρ σ᾽, εἰ τῶνδε μὴ λήξεις [1] γόων,
ἐνταῦθα πέμψειν ἔνθα μή ποθ᾽ ἡλίου
φέγγος προσόψῃ, ζῶσα δ᾽ ἐν κατηρεφεῖ [2]
στέγῃ χθονὸς τῆσδ᾽ ἐκτὸς ὑμνήσεις κακά.
Ηλ. ἦ ταῦτα δή με καὶ βεβούλευνται ποιεῖν;
Χρ. μάλισθ᾽. ὅταν περ οἴκαδ᾽ Αἴγισθος μόλῃ.
Ηλ. ἀλλ᾽ ἐξίκοιτο τοῦδέ γ᾽ οὕνεκ᾽ ἐν τάχει.
Χρ. τίν᾽, ὦ τάλαινα, τόνδ᾽ ἐπηράσω [3] λόγον;
Ηλ. ὅπως ἀφ᾽ ὑμῶν ὡς προσώπατ᾽ ἐκφύγω.
Χρ. βίου δὲ τοῦ παρόντος οὐ μνείαν [4] ἔχεις;
Ηλ. καλὸς γὰρ ὁ ἐμὸς βίοτος ὥστε θαυμάσαι.
Χρ. ἀλλ᾽ ἦν ἄν, εἰ σύ γ᾽ εὖ φρονεῖν ἠπίστασο.
Ηλ. μή μ᾽ ἐκδίδασκε τοῖς φίλοις εἶναι κακήν.

SOPHOCLES

[1] λήγειν = to cease. [2] κατηρεφής = vaulted. [3] ἐπαρᾶσθαι = to utter in prayer. [4] μνεία = memory; here = regard (for).

O.C. July 1962

150

After the fall of Troy Menelaus exults at the prospect of carrying Helen back to Greece for punishment

ὡς καλλιφεγγὲς ἡλίου σέλας [1] τόδε,
ἐν ᾧ δάμαρτα τὴν ἐμὴν χειρώσομαι.[2]
Τροίαν γὰρ ἦλθον οὐχ ὅσον δοκοῦσί με

γυναικὸς οὕνεκ᾽, ἀλλ᾽ ἐπ᾽ ἀνδρ᾽ ὃς ἐξ ἐμῶν
δόμων δάμαρτα ξεναπάτης¹ ἐλήσατο.³
κεῖνος μὲν οὖν δέδωκε σὺν θεοῖς δίκην
αὐτός τε καὶ γῆ δορὶ πεσοῦσ᾽ Ἑλληνικῷ.
ἥκω δὲ τὴν τάλαιναν—οὐ γὰρ ἡδέως
ὄνομα δάμαρτος ἥ ποτ᾽ ἦν ἐμὴ λέγω—
ἄξων· δόμοις γὰρ τοῖσδ᾽ ἐν αἰχμαλωτικοῖς
κατηρίθμηται Τρῳάδων ἄλλων μέτα.
οἵπερ γὰρ αὐτὴν ἐξεμόχθησαν⁴ δορί,
κτανεῖν ἐμοί νιν ἔδοσαν, εἴτε μὴ κτανὼν
θέλοιμ᾽ ἄγεσθαι πάλιν ἐς Ἀργείαν χθόνα.

EURIPIDES

¹ ἡλίου σέλας = day.　　　² χειροῦσθαι (middle) = to lay hold of.
³ ξεναπάτης = treacherous guest.　　　⁴ λήζεσθαι = to carry off.
⁴ ἐκμοχθεῖν = to capture at last.

O.C. July 1965

151

A messenger describes to Electra how he saw the people of Argos gathering together for the trial of her brother Orestes

ἐτύγχανον μὲν ἐξ ἀγροῦ πρὸς δώματα
βαίνων, πυθέσθαι δεόμενος ¹ τά τ᾽ ἀμφὶ σοῦ
τά τ᾽ ἀμφὶ Ὀρέστου· σῷ γὰρ εὔνοιαν πατρὶ
ἀεί ποτε εἶχον, καί μ᾽ ἔθρεψε σὸς δόμος.
ἀστῶν δὲ δή τιν᾽ ἠρόμην ἄθροισμα ² ἰδών·
"τί καινόν ἐστιν; ἆρα πολεμίων πάρα
ἄγγελμα ἀνεπτέρωκεν ³ Ἀργείων πόλιν;"
ὁ δ᾽ εἶπε "'Ὀρέστην κεῖνον οὐχ ὁρᾷς πέλας
στείχοντα, ἀγῶνα ⁴ θανάσιμον δραμούμενον;" ⁴
ὁρῶ δ᾽ ἄελπτον φάσμα, σύγγονον σέθεν

στείχοντα λύπῃ καὶ νόσῳ παρειμένον.⁵
κῆρυξ δ' ἀναστὰς εἶπε "τίς θέλει λέγειν,
πότερον 'Ορέστην κατθανεῖν ἢ μὴ πρέπει;"

EURIPIDES (adapted and with omissions)

¹ δεῖσθαι = to want.   ² ἄθροισμα = gathering.   ³ ἀναπτεροῦν =
to excite.   ⁴ ἀγῶνα τρέχειν = to run a race.   ⁵ παρειμένος =
weakened.

O.C. December 1965

152

A messenger begins to describe to Clytaem-
nestra the mother of Iphigenia the sacrifice of
her daughter at Aulis

ἐπεὶ γὰρ ἱκόμεσθα τῆς Διὸς κόρης
Ἀρτέμιδος ἄλσος,¹ λείμακάς ² τε ἀνθεσφόρους,
σὴν παῖδα ἄγοντες, εὐθὺς Ἀργείων ὄχλος
ἠθροίζετο·³ ὡς δὲ ἐσεῖδεν Ἀγαμέμνων ἄναξ
ἐπὶ σφαγὰς στείχουσαν εἰς ἄλσος κόρην,
ἀνεστέναζε, καὶ ἔμπαλιν στρέψας κάρα
δάκρυα προῆκεν, ὄμμασιν πέπλον προθείς.
ἡ δὲ σταθεῖσα τῷ τεκόντι πλησίον
ἔλεξε τοιάδε· Ὦ πάτερ, πάρειμί σοι,
τὸ ἐμὸν δὲ σῶμα τῆς ἐμῆς ὑπὲρ πάτρας
καὶ τῆς ἀπάσης Ἑλλάδος γαίας ⁴ ὕπερ
θῦσαι δίδωμι ἑκοῦσα· πρὸς βωμὸν θεᾶς
ἀπάγετέ με, εἴπερ ἐστὶ θέσφατον ⁵ τόδε.

EURIPIDES (adapted)

¹ ἄλσος = (sacred) grove.   ² λεῖμαξ = meadow.   ³ ἀθροίζειν
= to gather.   ⁴ γαίας = γῆς.   ⁵ θέσφατον = ordained by the gods.

O.C. July 1966

153

Makaria expresses her willingness to be
sacrificed in order to save the city which has
protected her

Μα. μή νυν τρέσῃς ἔτ' ἐχθρὸν Ἀργεῖον δόρυ·
ἐγὼ γὰρ αὐτὴ πρὶν κελευσθῆναι, γέρον,
θνῄσκειν ἑτοίμη καὶ παρίστασθαι σφαγῇ.
τί φήσομεν γάρ, εἰ πόλις μὲν ἀξιοῖ
κίνδυνον ἡμῶν οὕνεκ' αἴρεσθαι μέγαν,
αὐτοὶ δὲ προστιθέντες ἄλλοισιν πόνους,
παρὸν σεσῶσθαι, φευξόμεσθα μὴ θανεῖν;
οὐ δῆτ', ἐπεί τοι καὶ γέλωτος ἄξια,
στένειν μὲν ἱκέτας δαιμόνων καθημένους,
πατρὸς δ' ἐκείνου φύντας οὗ πεφύκαμεν
κακοὺς ὁρᾶσθαι· ποῦ τάδ' ἐν χρηστοῖς πρέπει;

L. January 1966

154

Pheres sympathizes with his son Admetus, whose
wife Alcestis has died to save her husband's life,
and asserts that she has brought glory to her
sex by this noble deed

ἥκω κακοῖσι σοῖσι συγκάμνων, τέκνον·
ἐσθλῆς γάρ, οὐδεὶς ἀντερεῖ, καὶ σώφρονος
γυναικὸς ἡμάρτηκας. ἀλλὰ ταῦτα μὲν
φέρειν ἀνάγκη καίπερ ὄντα δύσφορα.
δέχου δὲ κόσμον τόνδε, καὶ κατὰ χθονὸς
ἴτω. τὸ ταύτης σῶμα τιμᾶσθαι χρεών,
ἥτις γε τῆς σῆς προὔθανε [1] ψυχῆς, τέκνον,
καί μ' οὐκ ἄπαιδ' ἔθηκεν οὐδ' εἴασε σοῦ

στερέντα [2] γήρᾳ πενθίμῳ [3] καταφθίνειν,
πάσαις δ᾽ ἔθηκεν εὐκλεέστερον βίον
γυναιξίν, ἔργον τλᾶσα γενναῖον τόδε.

[1] προθνήσκω = die for.   [2] στερείς = deprived of.
[3] πένθιμος = wretched.

L. January 1967

155

Troy has fallen and Menelaus has sent men
to fetch Helen, intending to kill her. Hecuba
warns him that she is still dangerously
fascinating. Helen, being brought before him,
asks what is to be her fate

Εκ.   αἰνῶ σε, Μενέλα᾽, εἰ κτενεῖς δάμαρτα σήν.
       ὁρῶν δὲ τήνδε φεῦγε, μή σ᾽ ἕλῃ πόθῳ.
       αἱρεῖ γὰρ ἀνδρῶν ὄμματ᾽, ἐξαιρεῖ πόλεις,
       πίμπρησιν οἴκους· ὧδ᾽ ἔχει κηλήματα.[1]
       ἐγώ νιν οἶδα, καὶ σύ, καὶ οἱ πεπονθότες.

Ελ.   Μενέλαε, φροίμιον [2] μὲν ἄξιον φόβου
       τόδ᾽ ἐστίν· ἐν γὰρ χερσὶ προσπόλων σέθεν
       βίᾳ πρὸ τῶνδε δωμάτων ἐκπέμπομαι.
       ἐγὼ σαφῶς μὲν οἶδά σοι μισουμένη,
       ὅμως δ᾽ ἐρέσθαι βούλομαι· γνώμη τίς ἦν
       Ἕλλησι καὶ σοὶ τῆς ἐμῆς ψυχῆς πέρι;

Με.   κτανεῖν ἐμοί σ᾽ ἔδωκαν, ὅνπερ ἠδίκεις.

Ελ.   ἔξεστιν οὖν πρὸς ταῦτ᾽ ἀμείψασθαι [3] λόγῳ,
       ὡς οὐ δικαίως, ἢν θάνω, θανούμεθα;

Με.   οὐκ ἐς λόγους ἐλήλυθ᾽, ἀλλά σε κτενῶ.

[1] κήλημα = bewitching charm.   [2] φροίμιον = a beginning.
[3] ἀμείβομαι = I answer.

O. Summer 1964

156

A messenger brings news to Clytemnestra and Aegisthus of the death of Orestes

Ἄγγελος.　ξέναι γυναῖκες, πῶς ἂν εἰδείην σαφῶς
　　　　　εἰ τοῦ τυράννου δώματ' Αἰγίσθου τάδε;
Χορός.　　τάδ' ἐστίν, ὦ ξέν'· αὐτὸς ἤκασας [1] καλῶς.
Αγ.　　　ἄνακτος οὖν γυναῖκα τυγχάνω βλέπων
　　　　　ταύτην; δοκεῖ γὰρ ὡς τύραννος [2] εἰσορᾶν.
Χο.　　　μάλιστα πάντων· ἥδε σοι κείνη πάρα.
Αγ.　　　ὦ χαῖρ', ἄνασσα. σοὶ φέρων ἥκω λόγους
　　　　　ἡδεῖς φίλου παρ' ἀνδρός, Αἰγίσθῳ θ' ὁμοῦ.
Κλυταιμνήστρα. καλὸν σὺ τοῦτ' εἴρηκας· εἰδέναι δέ σου
　　　　　πρῶτον θέλοιμ' ἂν τίς σ' ἀπέστειλεν βροτῶν.
Αγ.　　　Φανοτεὺς ὁ Φωκεύς, ἀγγελοῦνθ' ὑμῖν τόδε.
Κλ.　　　τί δ' ἔστιν, ὦ ξέν'; εἰπέ. παρὰ φίλου γὰρ ὢν
　　　　　ἀνδρός, σάφ' οἶδα, προσφιλεῖς [3] λέξεις λόγους.
Αγ.　　　τέθνηκ' Ὀρέστης· ἐν βραχεῖ ξυνθεὶς λέγω.
Κλ.　　　τἀληθὲς εἰπέ, τίνι τρόπῳ διώλετο;
Αγ.　　　πρὸς ταῦτ' ἐπέμφθην, πᾶν δὲ τἀληθὲς φράσω.

[1] εἰκάζω = I guess.　　　　[2] τύραννος (here feminine) = queen.
[3] προσφιλής = welcome, pleasing.

O. Summer 1965

157

Alcmena wishes to kill the captive Eurysthenes, but the messenger tells her that the law, with the approval of Hyllus, forbids it

Αγγ.　οὐκ ἔστιν ὅσιον[1] τόνδε σοι κατακτανεῖν.
Αλκ.　μάτην ἄρ' αὐτὸν αἰχμάλωτον εἵλομεν.
　　　εἴργει δὲ δὴ τίς τόνδε μὴ θανεῖν νόμος;

Αγγ. τοῖς τῆσδε χώρας προστάταισιν² οὐ δοκεῖ.

Αλκ. τί δὴ τόδ᾽; ἐχθροὺς τοισίδ᾽ οὐ κτανεῖν δοκεῖ;

Αγγ. οὐχ ὄντιν᾽ ἄν γε ζῶνθ᾽ ἕλωσιν ἐν μάχῃ.

Αλκ. καὶ ταῦτα δόξανθ᾽ Ὕλλος ἐξηνέσχετο;³

Αγγ. οὐ χρή νιν, οἶμαι, τῇδ᾽ ἀπιστῆσαι⁴ χθονί.

Αλκ. χρὴ τόνδε μὴ ζῆν μηδὲ φῶς ὁρᾶν ἔτι.

Αγγ. οὐκ ἔστι τοῦτον ὅστις ἂν κατακτάνοι.

Αλκ. ἔγωγε· καίτοι φημὶ κἄμ᾽ εἶναί τινα.

Αγγ. πολλὴν ἄρ᾽ ἕξεις μέμψιν, εἰ δράσεις τόδε.

EURIPIDES

¹ ὅσιος = permitted, right.   ² προστάτης = chief, leader.
³ ἐξανέχομαι = endure.   ⁴ ἀπιστέω = disobey.

C. Summer 1958

158

The servant of Capaneus, one of the seven captains who died fighting beside the river Dirce, tells the chorus of his own capture and of the safety of Theseus and the Athenian army

ΛΑΤΡΙΣ ΧΟΡΟΣ

Λα. γυναῖκες, ἥκω πόλλ᾽ ἔχων λέγειν φίλα,
αὐτός τε σωθείς· ἡρέθην γὰρ ἐν μάχῃ
ἣν οἱ θανόντων ἑπτὰ δεσποτῶν στρατοὶ
ἠγωνίσαντο ῥεῦμα Διρκαῖον πάρα·
νίκην τε Θησέως ἀγγελῶν. λόγου δέ σε
μακροῦ ἀποπαύσω· Καπανέως γὰρ ἦν λάτρις,
ὃν Ζεὺς κεραυνῷ ¹ πυρπόλῳ κατέκτανεν.

Χο. ὦ φίλτατ᾽, εὖ μὲν ἡμῖν ἀγγέλλεις τὰ σὰ
τὴν δ᾽ ἀμφὶ Θησέως βάξιν·[2] εἰ δὲ καὶ στρατὸς
σῶς ἐστ᾽ Ἀθηνῶν, πάντ᾽ ἂν ἀγγέλλοις φίλα.
Λα. σῶς, καὶ πέπραγε πανταχῇ κάλλιστα δή.
Χο. λέξον· παρὼν γὰρ οὐ παρόντας εὐφρανεῖς.[3]

EURIPIDES

[1] κεραυνός = a thunderbolt.   [2] βάξις = news.   [3] εὐφραίνειν = to delight.

C. July 1962

159

Iphigenia wants to return home to her brother
and sister. She asks the women of the Chorus
to help her and her two companions in their
flight by keeping silent about her plans

ὦ φίλταται γυναῖκες, εἰς ὑμᾶς ὁρῶ,
καὶ τἄμ᾽[1] ἐν ὑμῖν ἐστιν ἢ καλῶς ἔχειν
ἢ μηδὲν εἶναι καὶ στερηθῆναι[2] πάτρας
φίλου τ᾽ ἀδελφοῦ φιλτάτης τε συγγόνου.
καὶ πρῶτα μέν μοι τοῦ λόγου τάδ᾽ ἀρχέτω·
γυναῖκές ἐσμεν, φιλόφρον[3] ἀλλήλοις γένος
σῴζειν τε κοινὰ πράγματ᾽ ἀσφαλέσταται.
σιγήσαθ᾽ ἡμῖν καὶ συνεκπονήσατε
φυγήν. καλόν τοι γλῶσσ᾽ ὅτῳ πιστὴ παρῇ·
ὁρᾶτε δ᾽ ὡς τρεῖς μία τύχη τοὺς φιλτάτους,
ἢ γῆς πατρῴας νόστον[4] ἢ θανεῖν, ἔχει.
τί φατέ; τίς ὑμῶν φησιν ἢ τίς οὐ θέλει;

EURIPIDES

[1] τἄμ᾽ = τὰ ἐμά = my fortunes.   [2] στερεῖν = to deprive of.
[3] φιλόφρων = well disposed to.   [4] νόστος (with gen.) = a return home to.

C. July 1964

VOCABULARY

The same word may be included more than once for the benefit of those
who may have omitted the earlier passage(s) in which it occurs; but
this will not necessarily always be so, both because the pieces are
graded in difficulty, and because words are given only if they are
uncommon or likely to cause excessive difficulty if not known in
a particular context.

1. 2 ἡλίκος, of the same age
    4 μεταπέμπομαι, send for, summon
    5 ἐπιθυμέω, desire
    9 ἀσπάζομαι, greet

2. 2 δέομαι, ask
    3 χαρίζομαι, please
      ἄκων, unwilling
    4 ἔνθα, then

3. 5 διαχειρίζομαι, manage, conduct
    7 ἄχθομαι, be annoyed
    8 ἔνθα, then
    9 ἐπιθυμέω, desire
    11 ἱκανός (+infin.), able to

4. 4 ὑπήκοος, subject
    7 πέριξ, round about
    9 συνίσταμαι ἐπί τινα, combine against someone
    12 δέομαι, ask

5. 2 αἱρέομαι, choose, elect
    3 προσαιρέομαι, choose in addition
      ὁμότιμοι, Persian nobles of equal rank
    9 χωρίς (+genitive), apart from

6. 4 ἆθλον, prize
    5 δῆλον ὅτι, clearly, plainly
      (sometimes written as one word : δηλονότι)
    9 προθυμέομαι, show energy, exert oneself

7. 1 προθυμία, eagerness
      δρόμος, a run, a charge
    6 στραφέντες, from στρέφω = rout
      ἔρυμα, fortification
    8 τάφρος, ditch, trench

8. 3 ζεύγνυμι, lit. = yoke; here = bridge
    8 δέομαι, ask
    11 περιχαρής, overjoyed
    13 ἀποσφάζω, cut the throat

9. 7 ζεύγνυμι, here = join together (of a bridge)
    8 ἄφοδος, return journey
    10 ἀλάομαι, wander about

10. 2 ὀπίσω, in the future
    3 ἀμείβομαι, repay
    4 ἀφάπτω, tie
      ἅμμα, knot
      ἱμάς, strap
    12 προθυμία, eagerness
    13 χαρίζομαι, please

11. 5 ὁμολογέω, confess, agree
δρόμος, flight, running away
10 φυτεύω, cultivate

12. 1 ἀπορία, difficult circumstances, dilemma
2 μῦς, mouse
3 βάτραχος, frog
7 εἰκάζω, interpret
9 ἀλκή, power
10 ἀναπέτομαι, fly up
13 ἀπονοστέω, return home

13. 8 λαγῶς, hare
9 διώκω, pursue
ταράσσω, disturb
10 θορυβέω, make a noise

14. 2 ἀπορία, here = difficulty of dealing with
3 ἐμπαίζω (+dative), make mock of
6 ὄνος, ass
ἀπαλλάσσομαι, go away
14 διώκω, pursue

15. 9 προθυμία, eagerness
11 κολάζω, punish
13 ζεύγνυμι, lit. = yoke; here = bridge

16. 4 ἀναζεύγνυμι, literally = yoke up; here = fit out, equip
στόλος, expedition
6 χαρίζομαι, please
δύναμαι, here = be influential
8 φόρος, tax, tribute
10 ὑπηρετέω, serve

17. 3 ἰδιώτης, private citizen
5 ἀσπάζομαι, welcome kindly, treat with affection
γαμβρός, son-in-law

6 ἀποπνίγω, strangle
11 φρουρός, guard

18. 9 θύομαι, take the auspices, have sacrifices made
11 καλλιερέομαι, give good omens
12 διατελέω, continue

19. 1 ἄχθομαι, be angry
7 καλλιερέω, obtain good omens
8 ἀναπετάννυμι, open
9 φρουρός, guard
10 προσδοκάω, wait for, expect

20. 2 θύω, sacrifice
4 χῶρος, estate
5 νομή, pasture
ἀπογράφω, list, enter in register
11 παραλαμβάνω, succeed to, inherit
ταμίας, steward
12 ὑπηρέτης, servant
13 ἁλίσκομαι, be caught
ἀποσφάζω, cut the throat of

21. 11 ἄφθονος, plentiful
διατελέω, continue, carry on

22. 2 προερέω, give warning of
6 κόλπος, gulf
7 ἀκάτιον, small boat

23. 2 ἀνέχομαι, endure
3 ὀσμή, smell
ὀσφραίνομαι, smell

24. 1 κατόπτης, spy
3 ξένος, ally, friend
5 ἐπιθυμέω, desire
8 συμβουλεύω, advise
12 ἀνίημι, relax, slacken

25. 1 ἀριστεύω, win the prize for distinction
2 φθόνος, envy
πρωτεῖον, first prize, first place
4 ψῆφος, vote
7 ἀριστεῖον, prize
9 πομπός, escort
ἄχρι (+gen.), as far as
10 ἐφεξῆς, next, immediately following
12 ἀμελέω, ignore

26. 2 κολάζω, punish
7 διώκω, pursue
8 καταλύω, stay

27. 11 κατηγορία, accusation, charge
15 ἐξαίρετος, excepted

28. 4 φαῦλος, weak, poor, inferior
5 ἔπαλξις, parapet, battlement
6 ξύλινος, wooden
7 παράφραγμα, barrier, defence-screen
8 ἀμφορεύς, jar
9 ἄχθος, weight
10 ψόφος, noise

29. 2 ἔφορος, ephor (a Spartan magistrate)
4 ἀνδραποδίζω, reduce to slavery

30. 2 πολίχνη, small town
5 ἐλαττόομαι, fall (of river)
8 ὑδρεύομαι, draw water
9 πρᾶος, mild

31. 4 τὰ δεύτερα, here = second place
κομίζομαι, get for oneself
6 πέρατα, τά, ends
11 ἀντιποιέομαι, claim in place of

32. 2 τοὔνομα, τὸ ὄνομα
3 ἀπὸ ... ὀλεῖς, ἀπολεῖς
4 τἄνω, τὰ ἄνω
5 σκιάδειον, umbrella
8 διαλλαγή, truce
9 Τριβαλλοί, the Triballi were the 'barbarian' gods
10 σπένδεσθ', σπένδεσθε
12 γυναῖκ', γυναῖκα
14 ταμιεύω, be in charge of
κεραυνός, thunderbolt
15 γ', γε
πάντ', πάντα

33. 2 καταλλαγή, truce
3 κερδαίνω, profit, gain
4 τ', τε (cf. 6 and 8)
5 ὄμβριος (adj.), rain
εἶχετ', εἴχετε
τέλμα, pool, pond
6 ἀλκυονίδες, tranquil
ἤγεθ', ἤγετε
7 ἀλλ', ἀλλὰ
πώποθ', πώποτε
9 δίκαι', δίκαια
11 Δί', Δία
κἂν, καὶ ἐὰν
διαλλάττομαι, be reconciled, come to terms
12 ἐπ', ἐπὶ
ἄριστον, lunch

34. 3 μιαρός, digusting, foul
5 ὦχαρνέων, ὦ Ἀχαρνέων
6 τοῦτ', τοῦτο
βδελυρός, loathsome, foul
9 μάλλ', με ἀλλὰ
10 κατά ... χώσομεν, from καταχώννυμι, bury
11 ἀλλ' ἀνάσχεσθ' ὦγαθοί, ἀλλὰ ἀνάσχεσθε, ὦ ἀγαθοί

35. 3 ὦγαθοί, ὦ ἀγαθοί
ἐκποδών (adv.), out of the way

6 βωμός, altar
  ὅρκος, oath
7 οἶδ', οἶδα
  ἔγκειμαι, be involved with
10 εἶτ', εἶτα

36. 1 'στίν, ἐστίν
  καρτερός, brave
2 βαδιστέ(α) ἐστί, (= eundum
  est) I must go
5 εἶτ', εἶτα
6 ἐπύλλιον, verse, scrap of
  poetry
7 ἀναβάδην, upstairs
8 τρισμακάριος, thrice-blest
9 ὅθ', ὅτε

37. 2 ῥάκιον, rag
3 ῥῆσις, speech
5 ὀχληρός, troublesome
6 ἐπήνεσ(α) from ἐπαινέω;
  here ἐπήνεσα = thank you
7 κᾆτα, καὶ εἶτα
11 αὐχήν, neck
13 ἀνήρ, ὁ ἀνήρ

38. 2 ἔπειτ, ἔπειτα
3 τρυγῳδία, comedy
7 καὐτοῖς, καὶ αὐτοῖς
  οὑπί, ὁ ἐπί
9 κἀμοί, καὶ ἐμοί
  ἀμπέλιον, vine

39. 1 οὐλύμπιος, ὁ 'Ολύμπιος
4 κἀντεῦθεν, καὶ ἐντεῦθεν
  πάταγος, clash
7 μέντἄν, μέντοι ἄν
10 ἔνι, ἔνεστι
13 κοὐδέν, καὶ οὐδέν

40. 1 τοὔνομ', τὸ ὄνομα
3 ἡνίκ(α), when
8 θ', τε
10 πρόσθ', πρόσθε
11 πλέκω, lit. = weave

41. 2 ὑπεκτίθεμαι, remove
5 οἶδ', οἶδα
6 φροῦδος (adj.), gone
  ἐπ', ἐπί
7 ἄρ', ἄρα
8 δισσοί, two
  γύψ, vulture
9 ἔτ', ἔτι

42. 2 ὑπεκτίθεμαι, remove
3 αὐχέω, boast
  βρέτας, τό, statue
6 ἐρημόω, abandon, leave
7 σφάζω, slaughter

43. 2 καίνω, kill
3 προὔδωκα, from προδίδωμι
6 ἄχθος, τό, burden
  διπλόος, double
11 τοὐμοῦ, τοῦ ἐμοῦ
  ἄθλιος, miserable, unhappy
13 ὄνειδος, blame, disgrace

44. 1 ἀμφελίσσω, bind around
2 δμώς, slave
3 ἅγνος, holy
  βωμός, altar
4 προὔτεινα, from προτείνω,
  here = threaten
5 σφαγή, slaughter
6 τἀμφί, τὰ ἀμφί
  ὧδ' ἔχοντ', ὧδε ἔχοντα
9 ἕρπ', ἕρπε
10 γεγώς, = γεγονώς (from
  γίγνομαι)
  μήποθ', μήποτε

45. 2 ἐνυβρίζω, mock, insult
3 μοῖρα, luck, fate
4 ἰατρός, doctor
5 κἀκέλευστον, καὶ ἀκέλευστον,
  unordered
6 (ἐ)πικουφίζω (+genitive),
  lighten (a burden)

7 ἅλις, enough

8 τάξωθεν, τὰ ἔξωθεν

9 ἐξευτρεπίζω, make ready

12 πηγή, spring, stream

μέλαθρον, house

13 γύα, (piece of) land

46. 1 μέν᾽, μένε

τρέω, fear

2 προσπίτνω, beseech

4 ψαύω (+genitive), touch

5 ἔσθ᾽, ἔστι

θιγγάνω (+genitive), touch

6 λοχάω, lie in wait

47. 2 ἀκμή, right time

4 οἷ᾽, οἷα

6 πέλεκυς, axe

τῷ, = ᾧ

7 τἀπό, τὰ ἀπό

8 ἐπισφάξασ(α), from ἐπι-

σφάζω = slaughter

9 εἴθ᾽, εἴθε

11 νέος, young

48. 2 ἕκατι, = ἕνεκα

ἄγραυλος (adj.), country, be-

longing to country people

3 ᾽μοῦ, ἐμοῦ

5 εἰς ὕποπτα μολεῖν, become

suspicious

8 συγγιγνώσκω, forgive

9 ἀγορεύω, speak

11 ἀναπτύσσω, open, undo

13 ξένια, τά, refreshment, hos-

pitality

κυρήσεθ᾽ (+genitive), κυρή-

σετε; from κυρέω = meet

with

οἷ᾽, οἷα

16 ἦθος, τό, character, attitude

49. 1 εἰσδέρκομαι, look upon

2 χαρακτήρ, mark (on metal)

προσεικάζω, compare

3 εὔχομαι, pray, beseech

8 ᾽γώ, ἐγώ

12 οὐλή, scar

ὀφρύς, eyebrow

13 νεβρός, fawn

διώκω, pursue, chase

14 πτῶμα, fall

15 μέλλω, delay, hesitate

προσπίτνω (+dative), em-

brace

50. 1 σκηνόω, camp

4 ἀριστάω, have lunch

6 εἴωθα, be accustomed (perf.

with pres. meaning)

9 σύσσιτος, fellow member of

a military mess

λοιδορέω, abuse

51. 5 ῥάσσω, thrust

βόρβορος, mud

6 χεῖλος, lip

11 ᾄδω, here = crow

14 βαλανεῖον, bathroom

περιπλύνω, wash.

52. 1 παραχρῆμα, immediately

3 οἴδημα, swelling

5 πυρετός, fever

7 κάθαρσις αἵματος, haemor-

rhage

16 εἴληχα from λαγχάνω, bring

(of a legal action)

53. 4 δικάζομαι, go to law

χεῖλος, lip

8 διαρρήγνυμαι, burst

54. 2 κώμη, country town

4 παντοδαπός, of all kinds

5 καταφρονητικῶς, over-con-

fidently

7 ἐσπαρμένοις, from σπείρω =

scatter, spread

8 δρεπανηφόρος, bearing a

scythe

8 ὡς, (with numerals) about

13 διασκεδάννυμι, scatter, rout

55. 4 λαμπρός, outstanding, brilliant

12 ἔκπωμα, drinking cup

56. 3 ξενόω, entertain

7 χαμαί (adv.), on the ground

πόα, grass

9 ῥαπτόν, embroidered carpet

57. 9 παράδεισος, park

10 μεστός, full

58. 1 οἱ τριάκοντα, the 30 Spartiates (cf. § 56)

6 ξενόω, make a friend of

ἔστιν ὅτε, sometimes

9 ἀλλάττομαι, exchange

12 καρπόω, enjoy

59. 6 φιλοτιμία, ambition

12 ἀπέχομαι, keep away from

60. 7 ὁμαλός, level

11 μειονεκτέω, be at a disadvantage

61. 4 γιγνώσκω, here = decide

5 σκευοφόρος, baggage-carrying

62. 9 σκόλοψ, stake

63. 1 ἅπτομαι, here = engage (+ gen.)

3 ἦγεν ἐπὶ δόρυ, marched to the right

5 ὁμαλός, level

ἀχρεῖος, useless

64. 4 ἀκοντιστής, javelin man

6 ἀναβάτης, driver

8 διέχω, part, divide (intrans.)

10 ἐπηλάθη, from ἐπελαύνω

65. 3 ἐπὶ κέρως, in column

5 παραρρήγνυμι, here = leave a gap

6 ἔμβολος, wedge

66. 8 κάρτερος, violent

9 ἀφειδῶς, sparing no one

οἷα, here = as if

67. 4 ἀσκός, skin

ἡμίονος, mule

6 κράνος, helmet

10 ἐγκράτεια, self-control

68. 12 ἀποσπένδω, pour out as a drink-offering

69. 2 γράφομαι, prosecute

4 νομίζω, here = believe in

70. 4 ἀπολαύω, have benefit of, enjoy

10 μιμητής, imitator

ἀποδείκνυμι, make, render

13 τρυφή, luxury

71. 1 θεοφιλής, blessed

3 ῥώμη, strength

9 ἐφίεμαι, aim at (+gen.)

72. 4 μεγαληγορία, loftiness of speech, noble utterance

5 τῷ ὄντι, in reality

10 διάνοια, purpose, intention

14 μελετάω, practise

15 διαγίγνομαι, go through life

73. 5 τὸ λῃστικόν, piracy (= λῃστεία)

8 περαιόομαι, cross over, pass over

10 τροφή, sustenance

74. 1 ὄστρακον, potsherd, broken piece of pottery

2 μεθίστημι, expel

3 περιπεφραγμένον . . . δρυφάκτοις, encircled with railings

6 ἀτελής, null, of no effect

7 ἐκκηρύττω, banish by proclamation

8 καρπόομαι, keep possession of

9 ἄγροικος, boorish, rustic, uneducated

10 οἱ τυχόντες, ordinary people, no one in particular

18 Ἀχιλλεῖ, (Achilles in his anger had prayed that the Greeks might one day need his help again)

75. 3 Παλληνίῳ, Pallenium was a village in Attica

4 πρόπαππος, great-grandfather

10 ἄτιμος, deprived of citizen rights

76. 13 τέλος, task, duty

16 διαζώννυμι, surround

77. 3 ὑπαίθριος, in the open air

ταλαιπωρέω, suffer

4 ὄροφος, roof

5 ἀποικοδομέω, barricade

7 ἔμπνους, breathing

8 τὸν Καιάδαν, (where criminals' bodies were thrown)

10 χράω, declare (of oracles)

11 ἄγος, curse

13 ἀνδριάς, statue

78. 5 ἄρτος, bread

7 ὄψον, meat

79. 17 ἔστιν ὅτε, sometimes, at times

80. 4 ῥύμη, rush, great speed

αὐτοβοεί . . . αἱρέω, capture without a blow (lit. = at the first shout)

8 προλοχίζω, set an ambush beforehand

ἐνέδρα, ambush

9 ὁμόσε, at close quarters

81. 6 συνίημι, understand

82. 2 ἔκπυστος, discovered

3 νεωστί, recently

5 ἀνέλπιστοι, here represents a verb, = they will not expect

6 ἀλκή, strength, power

10 ἀποκνέω, shrink from

11 τὸ κενόν, here = the unknown factor (lit. the empty thing)

83. 4 ἄλφιτον, barley

6 φυράω, knead, mix

9 ἀλλόκοτος, monstrous, inhuman

10 ἐπείγω, hurry

84. 2 ἐστόν, dual form from εἰμί

λόφος, hill, ridge

7 ἐσβολή, pass

11 ἐπιτηδές, on purpose

85. 6 χαράδρα, ravine

προλοχίζω, lay (an ambush) beforehand

7 ἐνέδρα, ambush

10 προσνέω, swim towards

86. 2 χρησμός, oracle, answer of an oracle

10 ἄλυσις, chain

11 πεντετηρίς, festival celebrated every five years

13 περικτίονες, neighbouring (not found in the sing.)

14 θεωρέω, here = celebrate a
festival

87. 2 ἐμπίμπρημι, set fire to
5 χλάμυς, ἡ, military cloak
περιελίσσω, wind round
σπάω, draw
ἐγχειρίδιον, dagger
7 διασκεδάννυμι, scatter
11 χιτώνισκος, dress
12 κηδεύω, attend to

88. 7 ἄδεια, immunity
θεράπων, servant
8 ἀμύητος, uninitiated
9 χρῆσθαι ὅ τι ἂν δοκῇ, treat
as one likes
10 πρυτάνεις, the standing
council of the βουλή

89. 1 μήνυσις, information laid
against someone, charge
2 φεύγω, here (as often) =
go into exile, be in exile
8 ἐξελέγχω, prove wrong
10 ἐλέγχω, prove

90. 2 χάλκειον, forge
4 δέομαι, need
10 ἀπωθέομαι, drive away, re-
ject
12 ἀποφαίνω, allege, represent

91. 2 τῶν ἑκατὸν μνῶν, (there was
a public reward of 100
minae offered for infor-
mation about the cul-
prits)
4 πίστις, here = guarantee,
pledge
6 εἰς Καλλίου, to the house of
Callias
7 κηδεστής, relation by mar-
riage
9 συντίθεμαι, agree
10 μηνύω, report

92. 2 δεσμωτήριον, prison
7 συμφορά, disaster, trouble
8 ἔχρω, from χράομαι : here =
associate with
συγγενής, relation
10 φεύγω, here (as often) = be
in exile.

93. 1 ἐνθυμέομαι, reflect, consider
3 περιοράω, look on (without
doing anything)
4 δημεύω, confiscate
7 ὑποψία, suspicion
11 μηνύω, inform against
15 φανερός, obvious, clear, de-
finite

94. 3 φονεύς, murderer
8 ἀπαλλάττω, set free, release
10 μηνύω, inform against

95. 1 ζητητής, special investigator
6 φεύγω, go into exile
7 δικαστήριον, court of justice
9 καταδέχομαι, receive back
11 ἀπαλλάττεσθαι, get rid of

96. 4 ἐξαλειπτέον from ἐξαλείφω,
wipe out
ἀπαλλάττεσθαι, get rid of
6 καθαιρέω, here = repeal
8 ἀσεβέω, act impiously
10 Εὐμολπίδαι, hereditary
priests at Eleusis, who
were authorities on tradi-
tional, as opposed to codi-
fied, laws of behaviour
14 καταφρονέω, despise (+ gen.)
ἐπιδημέω, live in the city
15 προσκαλέομαι δίκην, institute
proceedings

97. 3 ἄθεος, not believing in the
gods
4 ἀναισχυντία, shamelessness

13 δύναμαι, here = have influence
15 ἐξελέγχω, prove wrong, convict

98. 1 ἰσχυρίζομαι, insist
2 ἀπολογέομαι, defend myself
3 διαγιγνώσκω, decide
4 μηνύω, give information
7 ἄδεια, immunity
8 ἀσεβέω, act impiously
11 συνθήκη, agreement (in this case including an amnesty)
13 ἀποψηφίζομαι, acquit (+gen.)

99. 1 ἀποψηφίζομαι, acquit (+gen.)
14 μέτοικος, resident alien (metic)

100. 3 ἀσεβέω, act impiously
4 παραχρῆμα, immediately

101. 17 ὅρκος, oath

102. 8 ὅρκος, oath
9 νέμομαι, enjoy the use of, dwell in
17 ἐπιτρέπω, entrust; here = let them run their own affairs

103. 7 ἀποκνέω, shrink from
10 ἐπιβολή, layer
11 πλίνθος, brick

104. 6 κακία, here = bad reputation
8 διάφορος, disagreeing with, at variance with

105. 2 κάλων ἐξίημι, let out the reef, set sail (κάλως, ὁ = reef, rope)

3 εὐπρόσοιστος, easy
6 παραμπίσχω, wrap up
9 ἴδρις, skilled in (+gen.)
10 λέκτρα, τά, marriage bed

106. 3 σχολή, idleness, inactivity
6 ἐκφύω, bear (of children)
10 ἕρπω, lit. = creep; here = move, proceed
βαλβίς, -ῖδος, turning-point
14 θρηνέω, lament

107. 4 βαστάζω, carry
10 εἰληχώς, from λαγχάνω = obtain
12 δίχα, apart from (+gen.)

108. 1 προσκοπέω, safeguard
2 τοὐμόν, here = my share
χρήζω, desire, want
ἀρά, curse
9 ὅρκιος, witnessing an oath

109. 3 ὁρίζω, lay down, determine
10 φρόνημα, arrogance

110. 3 πρεσβεύω, honour
4 καθίστημι, appoint (+infin.)
7 ναίω, dwell in
ὄλβιος, prosperous, happy
8 ἀποσπάω, tear away from
10 ἥβη, youth
12 καλῶς ἥκω βίου, am of an age to
15 φιτεύω, beget

111. 1 εὐανδρία, goodness, nobility
2 ταραγμός, confusion
5 λιμός, here = emptiness (of mind)
10 χρεία, need
11 λόγχη, spear
13 εἰκῇ, at random, without purpose

112. 10 ἀπαυδάω, say no; here =
shun (+dat.)
12 περίβλεπτος, regarded, re-
spected

113. 8 στερρός, hard, cruel

114. 7 πτήσσω, crouch, cringe
12 αὐθέντης, murderer

115. 2 χείριος, here = in your
power (adj.). (She is
talking to Menelaus.)
8 περιπτύσσω, embrace, fold
round
10 ψέγω, blame, find fault
with

116. 13 χερσαῖος, here = lands-
man
14 γοργός, terrible
16 αὐχέω, boast

117. 2 πέπλος, robe (carried in
procession to Athena
Polias on the Acropolis;
the Knights took part in
the procession)
6 ἀμυνίας on one's guard
(with a capital letter
here because of a joke
about a man called
Amynias)
8 ἀποψάω, wipe off
10 σίτησις (and τὰ σιτία in
line 11), public banquet
13 προῖκα, freely, without
charge

118. 6 κώπη, oar
7 ἀναβρυάζω, neigh
9 ὁπλή, hoof
10 πάγουρος, crab
11 βυθός, depths, here of the
sea
12 καρκίνος, crab

119. (b) 2 ἀπονέμω, allot
4 ἀγήραντος, that does
not grow old (adj.)
(d) 2 ἐμπορία, trade

120. (a) 6 ἀποστερέω, deprive of
(+gen.)
7 ἐκπορθέω, destroy, sack
11 κλύω, here = be ruled
by (+gen.)
12 λόγχη, spear, here =
spearmen
(b) 2 ἀσκέω, practise

121. (a) 2 τέρμα, end
(c) 2 αἴθε, = εἴθε

123. 3 ἀναιδές, for τὸ ἀναιδές
(from the adj. ἀναιδής)
= a shameless act
μέρος, acc. of time how
long
4 κᾆτα, = καὶ εἶτα
12 χειρόομαι, overpower
13 ὀκνέω, shrink from (+
infin.)

124. 1 ἄνωγα, order (perf. with
pres. meaning)
5 λάσκω, here = utter, say
6 ὀκνέω, shrink, hesitate
9 πέρθω, destroy
11 θηρατέος, to be sought
after (verbal adj.)
15 ποέω, shortened form of
ποιέω

125. 1 πρός,+gen. = by, in the
name of (in entreaties)
2 εἴ τι . . . . προσφιλές, this
clause represents a gen.
after πρός
6 πάρεργον, a secondary mat-
ter: the sentence means
'spare a passing thought
for me'

δυσχέρεια, unpleasantness, disgust

11 γέρας, gift of honour

13 μόχθος, burden, trouble

15 ἀντλία, hold of a ship, bilges

126. 9 πορθέω, destroy

127. 3 οἶκτος, pity

5 ἐλεέω, have pity on

6 ὄνειδος, reproach; the participle gives the reason for the reproach : 'for ...'

11 πέπραμαι, from πιπράσκω lit. = sell, here = betray

12 ἀπονοσφίζω, deprive of, rob of

128. 5 μεταγιγνώσκω, change one's mind, repent

7 ἀτηρός, evil-intentioned, bringing ruin

9 ἐπεύχομαι, curse

πέρα, more, further (adv.)

14 ἀπαυδάω, forbid

ξυνίστωρ, witnessing

129. 5 ὀρθόω, here = send straight

14 βλαστάνω, grow

16 ἀκούω ἄριστα, have a very good reputation